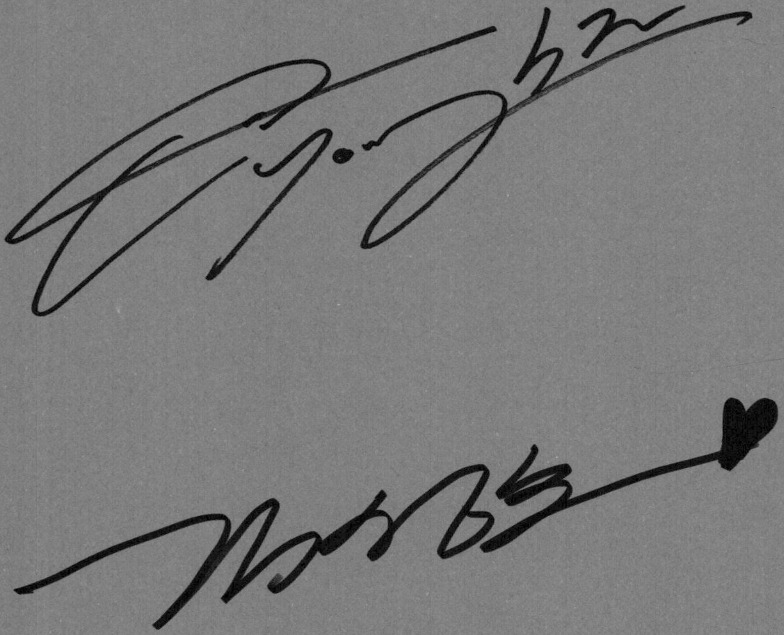

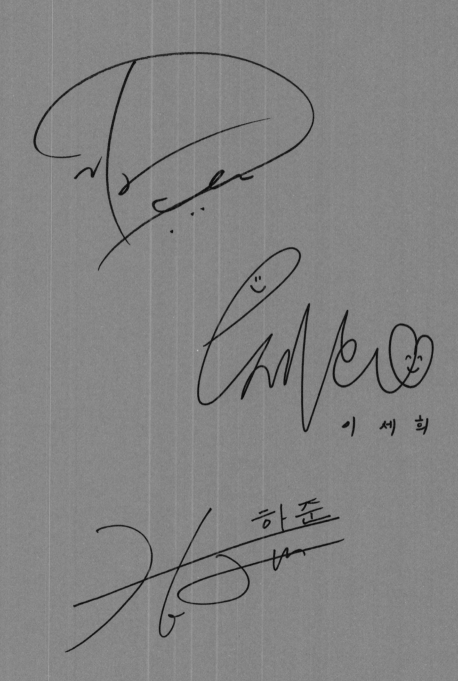

불량 검사 액션 수사극

진검승부

임명빈 대본집

1

DO! U LIKE

작가의 말

'이런 검사가 있었으면 좋겠다.'

부과 명예에 대한 그 어떤 욕심도 없이, '나쁜 놈은 잡는다'는 검사 본연의 임무에만 충실한 검사. 소처럼 우직하게 자신이 옳다 믿는 길을 직진으로 걷는 검사.

어렵고 힘든 세상 이런 검사 하나쯤은 있어도 되지 않을까.

'진정'이라는 중앙 지검 또라이, 검찰청의 생태계 교란종, 헌정 역사상 전무후무한 불량 검사가 탄생하는 순간이었습니다.

매력 넘치는 캐릭터, 누구나 웃으며 볼 수 있는 재밌는 이야기를 만들자는 일념 하나로 A4 용지의 여백을 채워 갔습니다. 한없이 부족한 이야기에 수많은 기적이 모였고 그렇게 <진검승부>가 만들어졌습니다.

감사할 사람이 너무나도 많습니다.

도경수 님 이세희 님 하준 님을 비롯한 배우님들. 끝까지 저를 믿어 주시고 응원해 주신 네오엔터테인먼트 이향봉 대표님, 배익현 부사장님, 조영재 본부장님과 이현실 과장님, 최자윤 피디님. 블라드스튜디오 서호진 대표님과 이도형 피디님. 김성호 감독님과 현장 및 내부 모든 스태프 여러분들. 진심으로 감사 인사를 드립니다. 저는 설계도만 그렸을 뿐 〈진검승부〉가 세상에 나오게 된 건 전적으로 여러분들의 덕입니다.

　오랜 시간 저와 함께 고생해 준 서브 작가 박미정, 김리안 님. 그동안 너무 고생 많으셨어요. 두 분의 앞길을 응원합니다. 건필을 빌겠습니다.

　마지막으로 〈진검승부〉를 사랑해 주신 모든 시청자분들. 여러분들이 작품에 주신 응원과 사랑 평생 잊지 않겠습니다.

　제가 좋아하는 미국 추리 소설의 거장 제프리 디버는 "작가는 독자가 지불하는 돈에 책임을 져야 한다." 말했습니다.

　드라마를 사랑하고 시청해 주시는 모든 분들의 시간을 책임지는 작가가 되겠습니다.

감사합니다.
- 〈진검승부〉 작가 임영빈 드림 -

몽타주

영상 편집 구성의 한 방법으로 따로따로 촬영한 화면을 적절하게 떼어 붙여서
하나의 긴밀하고도 새로운 장면이나 내용으로 구성하는 기법입니다.

◀ 플래시백

장면의 순간적인 변화를 연속으로 보여 주는 기법으로 긴장의 고조,
감정의 격렬함을 나타내는 데 효과적이며, 과거 회상 장면을 나타내는 데 쓰입니다.

+ 인서트

장면의 행동이나 상황을 강조하기 위해 삽입한 화면입니다.
대개 클로즈업을 사용하며 상황을 좀 더 명확하게 만듭니다.

차례

기획 의도

삼권분립. 입법, 행정, 사법은 각각 별개의 기관으로 나뉘어 상호 간 견제와 균형을 유지함으로써 국가 권력의 집중과 남용을 방지... 는 개뿔!

이 나라의 권력자들이라 쓰고 '국민을 개돼지로 아는 놈들'이라 읽는 그들은 이미 서로가 서로의 뒤를 봐주며 그들만의 이득을 불리고 그들만의 권력을 독점하고 있다.

그들이 굴리고 있는 지금 세상은 어떤가.

바른말은 미친놈의 헛소리가 되었다. 정의와 공정은 눈치 없는 멍청이의 공허한 외침이 되었다. 당연한 게 더 이상 당연하지 않게 된 세상, 당연한 걸 당연하게 만드는 게 더 힘들게 된 세상에서, 이 남자 '진정'은 생각했다.

그래 좋아. 불법이 합법이 되고 합법이 불법이 되는 세상이란 거 쿨하게 인정해. 그럼 말이야, 이 미친 세상에 나 같은 놈 하나쯤 나타나는 것도 당연한 거 아닐까? 전부 예스할 때 혼자 노라 외치고, 꼰대들의 체계 따위 안중에도 없는 나 같은 또라이 불량품 말이야.

　법 위에서 노는 놈들을 잡기 위해선 나도 법 위에서 놀아야 한다.

　정정당당하고 정석적인 방법으로는 무소불위의 권력을 가진 그들을 상대할 수 없다.

　나쁜 놈들을 잡기 위해선, 나쁜 놈들보다 더 영악해져야 한다!

　정은 정법보다는 편법을, 정석보다는 꼼수를, 성실함보다는 불량함을 택했다. 이 사회를 좀먹고 있는 부정부패한 권력자들을 처단하기 위해.

　이 드라마는

　불량함과 껄렁함으로 무장한 우리의 진정이 부와 권력이 만든 성역, 그리고 그 안에 살고 있는 욕심쟁이들까지 전부 부숴 버리는 이야기이다.

　정의와 공정이 사어(死語)가 되어 버린 답답한 현실 속 시청자들에게 사이다를 안겨 주고, 이제는 존재마저 희미해진 양심과 선을 진(眞)정(正)이라는 또라이 불량품을 통해 다시금 상기시키고자 한다.

주요 등장인물 설정

진정 도경수(남, 30대 초반)

중앙 지검 형사부 검사.

한눈에 시선을 끄는 외모와 시원한 미소. 능글맞고 쾌활하며 언제 어떤 상황에서도 자신만만 여유만만. 단정함이나 올곧음, 강직함 같은 단어와는 아예 상종조차 안 하고 살아왔다. 검사라곤 생각할 수조차 없는 날티와 행동으로 중무장한, 검찰 역사상 전무후무한 또라이 이단아, 검찰청의 생태계 교란종.

그리고 동시에, 깊은 정의감과 양심, 약자를 위하는 마음을 가진 진짜 검사!

정은 약자의 편에 서서 그들을 지키고 그들의 정의를 위해 싸운다.

하지만 절대 법대로 싸우진 않는다. 아니 법이 쟤네 편인데 어떻게 법을 갖고 싸워?

승산 없는 게임은 시작도 하면 안 되는 법.

그래서 정은 권력자들의 방식대로 싸운다. 그들이 약자를 짓밟을 때 쓰는 그 방식 그대로 싸우고, 열 배로 갚아 준다.

어느 날 정에게 배당된 서초동 살인사건 서류.

실랑이가 붙은 20대 여성을 무참히 살해한 택배기사. 살인 현장에서 하룻밤을 지내고 경찰에 자백한 남자, 김효준.

사건을 수사하던 정은 효준이 거짓 자백을 했단 것을 깨달았다.

진범은 따로 있다. 최선을 다해 진실을 알고자 노력했지만 사건의 흑막은 그런 정을 놔두지 않았다. 정의 노력에도 불구하고 효준은 유죄가 인정되어 무기 징역을 선고받았다. 자신은 '민원봉사실'이라는 듣도 보도 못한 곳으로 좌천됐고 그사이 판결은 확정, 사건은 종결되었다.

사무실에서 짐을 싸면서 정은 결심했다. 이 사건, 끝까지 가겠노라고.

촌스럽게 복수나 동정 그런 이유 때문이 아니다. 자신과 효준은 일면식도 없다.

그저 난 검사니까. 검사라면 당연히 진실은 밝히고 나쁜 놈은 잡는 거니까.

더러운 건 피하는 게 아니라 치우는 거니까.

정은 지검 건물을 바라보았다.

"다 죽었어 니들은."

신아라 이세희(여, 30대 중반)

중앙 지검 형사부 선임 검사.

깔끔한 일 처리와 냉철한 상황 판단으로 김태호 지검장의 오른팔 자리를 꿰찼다. 정치적 감각 또한 뛰어나 동료나 선후배 검찰 간부들과도 좋은 관계를 유지하는 중. 다만 오직 정은 제외하고. 차갑고 도도해 보이는 외모완 다르게 은근 다혈질에 성질도 잘 낸다. 다만 오직 정한테만.

아라에게 정은 '태생적으로 결이 안 맞는 존재'다. 조직 생활에 있어 지켜야 할 덕목들을 단 하나도 지키지 않는, 검찰의 물을 흐리다 못해 아예 진흙탕으로 만들어 버리는 꼴통 생태계 교란종. 그래서 아라는 정이 싫다. 사람들한테도 정이 너어어무 싫다 말한다. 하지만 막상 정이 사고를 쳤을 땐 누구보다 걱정해 주고 커버도 쳐 주는 츤데레 선배 검사.

최연소 부장, 차장, 최초의 여성 검찰총장까지 되겠단 당찬 꿈의 소유자.

신임 검사 시절 당시 부장검사 김태호를 만났고 이 사람과 함께라면 국민에게 신뢰받는 검찰, 좋은 검찰을 만들 수 있겠다 생각했다. 자신의 꿈과 목표를 위해 이 사람을 따르겠다 결심했다. 하지만 생각은 생각일 뿐. 존경해 마지않았던 김태호가 서초동 살인사건을 비롯한 일련의 사건에 깊이 관여되어 있단 것을 알게 된 것.

진실이라 믿고 있던 모든 것들이 한순간에 거짓이 되었다.

난 대체... 어떻게 해야 하지?

중앙 지검 형사부 검사.

정과 나이는 같지만 기수로는 선배인, 22살에 사법고시를 패스한 엘리트.

치밀하고 계획적이다. 언제나 상대보다 한 수 앞을 생각하고 두 수 먼저 움직인다.

단정하고 차분한, 어떤 경우에도 속내를 드러내지 않는다.

아버지가 운영하던 공장은 대기업의 계략으로 한순간에 도산하고 말았다.

아버진 알코올 중독 폐인으로 살다 비참하게 삶을 마감했고, 어머니는 어린 도환을

먹여 살리기 위해 술집에 나가야 했다.

행복했던 가정은 한순간에 풍비박산이 났다. 무력감은 분노가 되었고 분노는 깨달

음이 되었다. 세상은 돈과 권력이 최고라는 것을. 아버지가 항상 말해 오던 정직, 양

심, 공정 따윈 지나가는 개도 안 건드리는 말이란 걸 도환은 깨달았다.

정이 무슨 수를 써서라도 정의를 이루려 한다면 도환은 무슨 수를 써서라도 위로 올

라가고 싶어 한다.

성공에 대한 욕망은 나의 피다.

권력에 대한 목마름은 나의 살이다.

난 사자가 될 것이다.

왕이 될 것이다.

오도환 하준(남, 30대 초반)

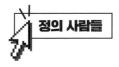

정의 사람들

▶ **이철기** 연준석(남, 30대 초반)

정의 충성스럽고 듬직한 검찰 수사관.

능글맞은 정과는 반대로 시종일관 진지하다. 농담은 진담으로 받아들이고 진담은

명령으로 받아들인다. 예능감이라곤 눈을 씻고 찾아도 찾을 수가 없는, 순도 백 퍼센

트 다큐 인생 사나이.

정과는 초등학교 때부터 알고 지낸 사이. 자신을 괴롭히던 아이들을 정이 두들겨 패

준 이후 지금까지 정을 따라다니며 충성하고 있는 중이다.

무릇 장수는 자신을 알아보는 자를 위해 목숨을 바치는 법.

철기가 바라는 건 다른 게 아니었다. 그저 정
이 뜻한 바를 이룰 때까지 끝까지 옆에서 보
좌하겠다는 것. 이거 하나면 충분했다.

▶ **고중도** 이시언(남, 20대 후반)

용산 지하상가 맨 구석 허름한 컴퓨터 수리점을 운영하는, 해킹 대회 나가면 82명 중 41등하는 애매한 실력의 해커.

좌우명은 '열정 금지'. 제일 싫어하는 말은 '해킹하면 다 되는 거 아냐?'

정과는 주인과 노비 관계로 얽혀 있는 중. 약점을 잡혀 어쩔 수 없이 정의 말을 따르고 있다 보니 허구한 날 뺀질뺀질 궁시렁 궁시렁. 그러다 괜히 한 대 맞고 서러움에 몸부림치는, 참으로 웃픈 인생의 소유자.

과거엔 불법 오락실을 털어 문화 상품권 타 먹는 일을 부업으로 해 왔다. 하지만 꼬리가 길면 잡힌다 했던가 조폭들에게 걸려 산 채로 장기 다 털릴 뻔한 그때.

한 남자가 나타났다. 남자는 자신을 진정이라 소개했다.

정은 중도에게 거부할 수 없는 제안을 건넸다.

"이대로 죽든지 아님 날 위해 일하든지 선택은 그쪽 자유야."

▶ 백은지 주보영(여, 20대 후반)

전국구 조직 백곰파 회장 백곰의 외동딸.

시크하고 차분하다. 말수는 적지만 할 말이

있으면 상대가 누구든 가리지 않는다.

언제 어디 어느 상황에서도 절대 마이 웨이를

잃지 않는 고양이 같은 여자.

조직의 2인자로 밤거리를 주름잡다 정을 만

난 이후 은퇴를 선언, 현재는 완전히 손을 씻

었지만 여전히 암흑가에선 그녀의 이명(異名)이 전설처럼 내려오는 중이다.

언제나 랩터 가위를 들고 싸운다 하여 붙은 그 이름, 봉천동 벨로시랩터...!

은지에게 정은 세 종류의 사랑이다. 첫사랑과 짝사랑, 그리고 무조건적인 사랑.

그가 경쟁 조직에 납치된 자신을 구해준 이후부터. 정신을 잃어가는 와중에 본 정의

모습. 그때 은지는 결심했다. 이 남자를 반드시 내 것으로 만들겠다고.

근데 이게 무슨 일? 갑자기 신아라라는 여자가 툭 튀어나왔다. 정의 선배 검사라는

그녀. 만나기만 하면 엎치락뒤치락 티격태격하는 정과 아라를 보며 은지는 난생처

음 긴장이란 것을 느꼈다. 이 여자... 위험하다.

내 남자를 지키겠다는 은지의 사랑과 전쟁은 지금부터 시작이다.

▶ **박재경** 김상호(남, 40대 후반)

'공명정대한 세상과 사회정의 실현을 위한 국민의 민원봉사실'이라 쓰고 불량품 폐기실이라 읽는 곳, 일명 '폐기실'의 실장.

산은 산이요 물은 물이라 매사에 유유자적 천하태평, 능청과 능글맞음은 천하의 진검사도 한 수 접어줄 정도.

주식은 라면에 소주 반병. 취미는 해외 축구 분석 및 스포츠 토토 가계부(토계부) 작성. 검사라기보단 방구석 백수라는 표현이 훨씬 더 잘 어울리는 인물.

과거엔 정 못지않은 열혈 똘끼 충만 검사였다. 검사로서 정의를 구현하겠단 의지가 있었고, 정·재계 카르텔과 부패 세력들, 그들 위에 있는 로펌 '강산'까지 전부를 무너

뜨리겠단 열정이 있었다.

로펌 강산 대표 서현규에 의해 아내와 아들 모두가 사망하기 전까지는.

모든 것을 잃고 실의에 빠져 살던 어느 날, 한 명의 검사가 민원봉사실을 찾아왔다.

"오늘부로 민원봉사실 발령 받았습니다. 진정입니다."

"환영한다. 박재경이다."

▶ 중앙 지검 관련 사람들

▶ 김태호 김태우(남, 40대 후반)

중앙 지검장.

이장원 차장검사가 낙마하며 대신 지검장의 자리에 올랐다. 중년의 우아함과 멋을 곁들인 신사. 따뜻한 카리스마와 강직한 정의감으로 아라를 비롯해 지검 내 모든 검사들에게 신임과 존경을 받고 있다.

누구에게도 구속받지 않는 강한 검찰을 만들겠다는 것이 지상 목표. 자신의 야망과 목적을 위해 오래전부터 로펌 강산 서현규와 밀월 관계를 유지 중이다. 극 중반 진정을 제거하기 위해 온갖 계략을 꾸미나 역으로 정에게 당하고 구치소에 수감된다.

▶ 이장원 최광일(남, 50대 중반)

중앙 지검 형사부 차장검사.

목청 크고 말보다 손이 먼저 나간다. 권위적이고 대접 받기 좋아하는 중년 꼰대. 괴팍하고 거칠지만 일말의 소명감은 갖고 있다.

차기 지검장으로 내정되었으나 서초동 살인

사건 피해자인 20대 여성과의 스폰 논란이 터지며 낙마, 이후 누군가에 의해 자살 당하는 비운의 인물.

▶ **박 수사관** 윤정섭(남, 40대 중반)

오랜 시간 아라와 함께해 온 베테랑 수사관. 아라가 진심으로 믿고 의지하는, 절대 없어선 안 될 최고의 아군. 눈치도 빠르고 능력도 뛰어난 일당백 아저씨. 살짝 주책맞고 오지랖도 넓다. 요즘 가장 큰 관심사는 '과연 진 검사님과 신 검사님이 될까' 하는 부분.

▶ **강 수사관** 홍의준(남, 30대 중반)

도환의 충직한 오른팔.

도환이 로펌 강산의 변호사가 된 이후에도 끝까지 함께 행동한다.

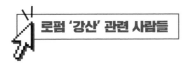

로펌 '강산' 관련 사람들

기업 관련 분쟁 및 인수 합병,

셀럽들 세기의 이혼 소송부터 일반 사건·사고까지

모든 분야의 법적 분쟁을 대리해 주는 대형 로펌 강산.

겉으론 여타 로펌들과 비슷한 업무를 하는 듯 보이지만,

이곳엔 대표를 포함 극소수의 간부들만이 알고 있는 사람들,

이른바 '특별 변호사'가 존재하고 있었다.

이들은 이 나라 상위 0.1%의 권력자들이 저지른 사건·사고만을 전담,

사건을 재구성하고 조작해 '처음부터 일어나지 않았던 일'로 만들어 준다.

유죄냐 무죄냐를 따지기 전에 아예 재판조차 받지 않게 조치해 준다.

수많은 권력자가 자신을 위해, 혹은 자기 가족을 위해 강산을 찾아왔다.

강산은 그들이 저지른 사건을 설계해 주었고,

그들이 저지른 짓을 약점 잡아 영향력을 키워 나갔다.

그렇게 로펌 강산은 대한민국을 굴리는 하나의 왕국이 되었다.

누구도 강산을 함부로 건드릴 수 없었다.

강산을 건드린다는 건 이 나라를 건드린다는 뜻이었고,

강산을 흔든다는 건 대한민국을 흔든다는 뜻이었기에.

▶ 서현규 김창완(남, 60대 초반)

로펌 '강산'의 대표.

정장보다 등산복을 더 즐겨 입는다. 매사에 호탕하고 호방한, 거대 로펌의 대표라기

보단 동네 약수터 아저씨 같은 인물. 하지만 웃고 있는 가면의 뒤엔 권력에 대한 집

착으로 가득 찬 섬뜩한 얼굴이 숨어 있다.

조금이라도 더 많은 권력을 갖고 싶다. 진시황의 그것처럼 하루라도 더 오래 권력을

지키기 위해 온갖 건강식과 보약을 탐하는 중.

잔인할 만큼 극단적인 실용주의자이자 능력 우선주의자.

믿음, 우정, 사랑은 현규의 세상엔 존재조차 하지 않는 단어들이다. 앞을 가로막는

적이 있다면 다시는 재기하지 못하게 묻어 버렸고, 그만큼 많은 아군들을 이용하고

버려 왔다.

어느 택배기사의 우발적 범행으로 마무리 된

서초동 살인사건. 사건은 막을 내렸고 진실은

영원히 수면 밑에 있을 줄 알았다. 오판이었

다. 중앙 지검 검사 한 놈이 계속 사건을 파헤

치고 있었던 것.

이름이 진정이라고? 현규는 미소를 지었다.

야무진 놈이 하나 나타났네?

▶ **서지한** 유환(남, 30대 중반)

서현규의 아들. 로펌 강산의 후계자이자 서
초동 살인사건의 진범.

웃으며 잠자리의 날개를 뜯는 어린아이처럼
한없는 해맑음과 순수함, 잔인함을 동시에
갖춘 괴물.

마약이나 음주 운전, 권력을 이용한 갑질 등
사회적 물의를 일으키는 행동은 절대 하지

않는다. 대신 지한은 상대의 약점을 잡아 이용하고 조종한다. 사람을 기만하고 상처
입히고 끝내 마음까지 박살내 버린다.

남의 불행에 웃음 짓고 남의 행복에 눈물짓는다.

지금껏 수많은 악행을 저질러 왔지만 발각될까 걱정한 적은 한 번도 없다.

돈과 권력이 있고, 이제 곧 내 것이 될 로펌 강산이 있으니까.

죄책감을 가져 본 적 또한 없다.

드러나지 않은 죄는 죄가 아닌 법이고, 난 애초에 죄책감이란 게 뭔지도 모르니까.

▶ **태 실장** 김히어라(여, 30대 초반)

서현규의 개인 경호원 겸 비서 태형욱.

서현규의 지시라면 무엇이든 다 수행하는 충

성스런 사냥개. 극 중반 진정을 제거하기 위

해 온갖 계략을 꾸미나 역으로 정에게 당하고

구치소에 수감된다.

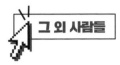

그 외 사람들

▶ **김효준** 이우성(남, 20대 중반)

착하고 건실한 택배기사. 서초동 살인사건의 목격자.

사건의 진범은 목격자인 효준에게 거래를 제안했다. 자기 대신 범인이 되라고.

정에게 자신이 '서초동 살인사건'의 범인이라 거짓 자백, 교도소에 수감 중이다.

▶ **유진철** 신승환(남, 40대 중반)

강남 유흥업소를 운영하는 건달.

이장원 차장과 서초동 살인사건의 희생자를 스폰 연결해 준 장본인.

진범의 뒷모습을 본 유일한 목격자로 사건 해결에 중요한 키를 쥐고 있는 인물.

▶ **민구** 정재원(남, 20대 후반)

전국구 조직 백곰파의 3인자.

은지가 필요할 때 부르면 언제든 달려오는 충직한 부하. 큰형님은 빨리 딸내미 잡아

오라 그러고 딸내미는 안 간다 그러고. 중간직의 고충을 여실히 몸으로 느끼는 중.

▶ **진정 모** 김금순(여, 50대 중반)

임애란 여사의 특기는 요리. 평생의 소원은 아들 결혼시켜 손주 보기.

쿨한 성격의 소유자지만 한편으론 아들 걱정에 바람 잘 날 없는 정의 어머니.

25

episode ❶

검찰 역사에 다시 없을 꼴통 불량 검사 진정. 하루하루 보잘것없는 사건들만 처리하던 그에게 어느 날 '서초동 살인사건'이 배당된다. 피의자는 20대 택배기사 김효준. 하지만 정은 그가 범인이 아니라는 것을 직감, 홀로 사건을 파헤치기 시작하는데...

進剑勝負❶

S#1 　　　 고급 유흥주점 룸 (밤)

양주를 마시고 있는 김 대표.
양옆엔 박 사장과 정 사장이 앉아 있고.

박 사장　　(김 대표의 잔에 술 채워주며) 조사받느라 고생 많으셨습니다.
정 사장　　전 대표님이 검사들한테 똑바로 해라 소리치시는 거 보고
　　　　　 완전히 지렸습니다.
김 대표　　지들이 잘나 봤자 얼마나 잘났다고. 공익의 대표자니
　　　　　 뭐니 해도 결국은 월급쟁이야. 나랏돈으로 권력 행사하는
　　　　　 놈들의 가장 큰 약점이 뭔 줄 알아?
박 사장　　(보면)

+　　　　　 인서트
　　　　　 건물 앞에 멈춰 서는 차 한 대. 차에서 내리는 철기와 형사들.
　　　　　 그들 뒤로 보이는 빌딩 전광판,

김 대표의 사진과 함께 뉴스 자막이 나오고 있다.
'검찰, 리치펀드 김형균 대표 횡령 및 배임 의혹 무혐의 처분'

김 대표   (손가락으로 돈 모양 만들어) 요게 부족해. 이거 하나만
                잘 채워 주면 그놈들 부리면서 놀 수 있어. 이번에도 봐,
                조사받으러 오라고 관용차까지 내주잖아.

박 사장   (감탄) 역시 대표님의 통찰력은… 대단하십니다 대표님.

정 사장   이제 본격적으로 놀아 보시죠.
                오늘은 제가 풀코스로 모시겠습니다!

한바탕 웃음을 터뜨리며 건배하는 세 사람.
그때, 문을 박차며 우르르 들어오는 사람들,
철기와 형사들이다.

철기   리치펀드 김형균 대표님?

김 대표   (철기 보는)

철기   (경찰 신분증 보이며) 경찰입니다. 같이 가 주시죠.

김 대표   뭔가 오해가 있는 거 같은데, 내 전화 한 통만 하고…
                (하는데)

철기   (제지하는, 핸드폰 뺏어 품에 넣으며)
                통화는 변호사랑 있을 때 하시죠. 연행해.

형사   (김 대표 손목에 수갑 채우는데)

정(소리)   잠깐.

철기 돌아보면,

비스듬히 문가에 기대 서 있는 한 사람, 정이다.

정   요즘 짜바리들은 매너가 없네.
         술 마실 땐 개도 안 건드리는 건데.

철기   누구야 당신?

검찰 신분증 보여 주는 정. 철기 신분증 보면,
'중앙 지검 형사3부 검사 진정.'

정   이쯤 되면 분위기 파악되죠?
         (김 대표 가리키는) 여기 이 사람은 저희 검찰에서
         직접 데려가겠습니다.

철기   !!

정   억울하면 지검에다 항의 넣으시고, 수고 많았습니다.
         만나서 반가웠고 다신 보지 맙시다.
         (웃으며 김 대표 데리고 나가는)

S#2   **고급 유흥주점 밖 일각 (밤)**

건물에서 나와 걸음 옮기는 정과 김 대표.
어느 순간 슥 건물 사이 골목으로 김 대표를 데려가는 정.
주위를 둘러보곤 김 대표의 수갑을 풀어 준다.

정   (정중한) 결례를 용서해 주십쇼. 아깐 보는 눈이 많아서.
         정식으로 인사드리겠습니다.

중앙 지검 형사3부, 진정입니다.

(인사하는)

김 대표   인사는 됐고, 지금 이게 무슨 상황인지 설명 가능할까?

정   법원에서 대표님에 대한 체포 영장을 발부했습니다.

김 대표   !!

정   지금 검경 전체가 대표님을 뒤쫓고 있습니다. 보시죠.

김 대표에게 자신의 핸드폰 보여 주는 정.

김 대표 보면,

'(속보) 리치펀드 김형균 대표,

자본시장법 위반 혐의로 체포 영장 발부'라 쓰여 있는

기사 헤드라인이 보이고.

김 대표   …!!

정   (주변 살피며) 제가 여기 온 건 아직 아무도 모릅니다.

아까 그놈들한테 걸리기 전에 최대한 빨리 여길…

하다가 멈칫 보면, 골목 밖,

철기와 형사들이 주변 살펴보고 있는 모습이 보이고.

정   생각보다 빨리 눈치챘네요. 이쪽으로.

김 대표를 데리고 빠르게 걸음 옮기는 정.

철기   (주위 살피다가, 골목 사이에서 정과 김 대표 발견하곤) 잡아!!

달리는 정과 김 대표.
철기와 형사들도 그 뒤를 쫓아 달리고...!

S#3   **번화가 (밤)**

사람들을 제치며 달려 나가는 정과 김 대표.
정 뒤돌아보면, 철기와 무리들이 자신들을 쫓아오고 있다.
김 대표를 데리고 주차장 쪽으로 달려가는 정.

S#4   **주차장 (밤)**

자신의 차를 향해 뛰어가는 정과 김 대표.
그 뒤를 쫓는 철기와 형사들!
빠르게 차에 올라타 시동을 거는 정.
어느새 철기와 형사들은 지척까지 와 있고...!
꾸욱 엑셀을 밟는 정. 부아아앙!
가까스로 사람들을 제치고 출발하는 정의 차!
이를 악물고 멀어지는 정의 차를 바라보는 철기.

S#5   **정의 차 안 (밤)**

도로 갓길에 멈춰 서는 정의 차.

김 대표   이름이 진정이라고?
정   (김 대표 보는)

김 대표	아깐 정신이 없어서 못 물어봤는데,
	자넨 어떻게 알고 날 찾아온 거지? (의심의 눈초리로 정 보는)
정	솔직히 말씀 드리자면 계속 기다리고 있었습니다.
	언젠간 제가...
	대표님께 도움 드릴 수 있는 날을요.
김 대표	(보는)
정	사실 검사란 게 그렇잖습니까. 명예만 있고
	생활비는 없는 자리다 보니... 죄송합니다
	제가 대표님한테 별말씀을 다...
김 대표	(슬쩍 웃음 짓는) 나한테 자네 스폰서가 되어 달라?
정	아닙니다 제가 어떻게 대표님한테 그런 청을,
	전 그저 대표님이 제 이름 두 글자만 기억해 주신다면,
	그걸로 충분합니다.
김 대표	겸손한 친구구만.
정	감사합니다. 근데 지금은 눈앞에 닥친 문제를
	먼저 해결해야 할 거 같습니다.
김 대표	(보는)
정	회사 자산 부실을 감추기 위해
	금감원에 로비한 비밀 장부.
김 대표	...!!
정	장부 숨겨 놓은 위치 체포되기 전에 옮기셔야 합니다.
	만약 그놈들이 대표님보다 먼저 손에 넣는다면...
	(김 대표 보는)
김 대표	내가 알아서 정리하지.
	고맙네 진 검사. 오늘 잊지 않겠네.

정의 어깨 두드려 주곤 밖으로 나가는 김 대표.
그 모습 바라보던 정. 차 출발시키고.

S#6 폐차장 앞 (밤)

멈춰 서는 택시. 택시에서 내리는 김 대표.
폐차장 안으로 걸음 옮긴다.

S#7 폐차장 (밤)

걸음 옮기다가 한 폐차 앞에서 멈춰 서는 김 대표.
조수석 문을 열곤 시트 깊숙한 곳에서 외장하드를 꺼낸다.
김 대표 급히 걸음 옮기려 할 때,
확 하고 김 대표를 덮치는 자동차 헤드라이트.
김 대표 놀라 보면, 차에서 내리는 한 사람,
정이다...!

김 대표	너... 니가 여길 어떻게...
정	어떻게긴 뭘 어떻겝니까 슬쩍 몰래 따라왔지.
	야아 우리 대표님 머리 잘 쓰셨네,
	어따 숨겨 놨나 했더니 이런 데 꿍치고 있었구나?
	(핸드폰 들어 김 대표 찍는, 찰칵!)
김 대표	그럼... 처음부터 전부, 니놈 연극이었다?
정	굳이 얘기하자면.
김 대표	(정 노려보는)

정	그러다 눈에서 빔 나오겠습니다.
	세상에 속인 놈이 잘못인가? 속은 놈이 잘못이지.
김 대표	(보는데)
정	자세한 건 취조실 가서 얘기하는 걸로 하고,
	김형균 씨.
	당신을 업무상 배임 및 자본시장법 위반과 뇌물제공,
	증거인멸 미수 혐의까지 더해 현장에서 긴급 체포...
	(하는데)

갑자기 들려오는 사람들의 발소리.
뭔가 불길한 정, 폐차장 입구 쪽을 보면,
우르르 몰려오는 한 무리의 깡패들...!

정	(난감하게 됐다, 김 대표와 깡패들 바라보는데)
김 대표	쯧쯧쯧... 그러게 왜 이런 델 혼자 와서. 얘들아.

각목과 쇠 파이프 등을 든 채 정에게 접근하는 깡패들.
긴장한 얼굴로 깡패들 바라보는 정.
그러다 갑자기 픽 웃음을 터뜨린다.

정	하여튼 이 나쁜 놈들 꼭 하나만 알고 둘은 몰라.
	저기요 김형균 씨, 나 여기 혼자 왔다 한 적 없어.
김 대표	뭐?
정	나 검사야. 내가 이런 거 하나 예상 못 했을 거 같애?
김 대표	(긴장하는)

정   (자신의 뒤편 향해) 철기야 나와라! 가즈아!!

긴장하는 김 대표와 깡패들.
그런 깡패들 보며 의기양양한 웃음 짓는 정.

정   우리 깡패님들 긴장해. 그놈이 주먹 하난 끝내주거든.

더더욱 긴장하는 김 대표와 깡패들.
그런데, 아무도 오지 않는다?
정 뒤돌아보면, 썰렁하니 바람만 불고 있고...

정   ...타임. (핸드폰 전화 거는) 야 너 지금 어디야?

S#8   **주차장, 폐차장 교차 (밤)**

철기   (난감한 얼굴로 통화 중인) 죄송합니다 검사님.
정   (황당) 아니 그건 또 무슨...
           야 분명 아까 내가 말했잖아 바로 따라오라고...!
철기   예. 근데 그게...

하며 옆을 보면, 서 있는 한 사람, 아라다.
한쪽엔 형사1, 2가 뻘쭘하게 서 있고.
철기에게 손 내미는 아라. 철기 어쩔 수 없이 핸드폰 넘겨주면,

아라   (꾹 화 참고) 어디야.

정	(끄응... 인상 찌푸려지는)
아라	여보세요? 진정, 어디냐고.
정	예 그게... 근데 선배는 왜 거기...?
아라	너 잡으러 왔다 너 잡으러. 너 지금 대체 뭐 하는 거야?
	(형사들 보곤) 이 사람들은 또 다 뭐고.
정	연기학원에서 잠깐 빌린...
아라	(머리가 아프다, 이마에 손 짚는) 정아, 우리 형사부야.
	반부패부에서 증거 없다고 풀어 준 놈을 니가 왜 잡아!
정	예 그래서 증거 찾으려고... 방금 증거 찾았고.
아라	...!!
정	솔직히 선배도 아시잖아요.
	윗선들 다 이놈이랑 짬짜미라는 거.
	걔들 그거 이놈 못 잡은 거 아니에요. 안 잡은 거지.
아라	(알고 있지만) 아무리 그래도 룰은 지켜야지.
	너 이럼 우리랑 반부패랑 얼굴 붉힐 수밖에 없어.
	상황에 따라선 그쪽이 전쟁 선포로 받아들일 수도 있다고
	니가 하는 짓 때문에!
김 대표	(뭐 하는 거야? 정 보고)
정	(핸드폰 막고, 김 대표에게) 미안. 이 사람은 좀 무서워서.
아라	일단 지검 복귀해.
	차장님도 다른 부서 일은 관여하지 말라 하시니까...
	(하는데)
정	싫습니다.
아라	...!!
정	저 진정이에요. 다른 얘기 필요한가?

아라	(미치겠고)
정	전화비 아까우니까 끊겠습니다. 내일 뵙죠. (끊는)
아라	여보세요. 진정, 진 검사! (끊겼다, 기가 차 핸드폰 바라보고)

S#9   **폐차장 (밤)**

정	자... 그럼 이걸 어떻게 한다? 대화로 풀 생각은 없는 거지?
김 대표	(피식 웃음 짓는, 깡패들에게) 얘들아.
정	진짜 이럴 거야? 인간적으로 연장은 반칙이지.
깡패들	(천천히 정에게 접근해 가고)
정	(작게 한숨 내쉬곤) 분명 니들이 먼저 들었다?
	나중에 나한테 뭐라 하지 마.

하곤 자신의 차를 향해 다가가는 정.
차 안을 뒤지기 시작한다.
그 모습 어이없게 바라보는 김 대표와 깡패들.

김 대표	(짜증) 바빠 죽겠는데 뭘 또 자꾸, 총이라도 숨겨 놨어?
정	(차 안 뒤적이며) 총은 무슨 쏘지도 못할 거.
	분명 여기 있었는데?
김 대표	(짜증스레 보다가, 옆에 깡패에게) 뭐해 새꺄 안 끌어내고!

정에게 다가가는 깡패, 정의 어깨 잡는 그때!
픽! 갑자기 스르르 바닥에 쓰러지는 깡패.
김 대표 놀라 보면,

여유롭게 목검을 돌리며 서 있는 정...!
(손잡이 부분엔 붕대가 감겨 있는,
붕대를 풀면 아버지가 남긴 메시지가 있는 설정입니다.)

정   (미소) 누구부터?

고함을 지르며 정에게 달려드는 깡패들.
목검을 이용해 깡패들을 제압해 나가는 정.
한 명 두 명 바닥에 쓰러져 나가는 깡패들.
뭔가 이건 아니다 싶은 김 대표.
문득 땅에 떨어져 있는 쇠 지렛대가 보인다.
마지막 깡패를 쓰러뜨리곤 짧게 숨을 고르는 정.
그런 정의 뒤로 쇠 지렛대 든 채 슬금슬금 다가가는 김 대표.
확 쇠 지렛대 치켜드는 그때!

정   또 쓸데없는 짓 하신다.
김 대표   (멈칫, 정 보는)
정   내려놔. 안 그럼 당신 진짜 혼나.

멍하니 정을 보는 김 대표.
그러다 이야아! 소리 지르며 쇠 지렛대 휘두르는데!
손쉽게 목검으로 쇠 지렛대 막는 정.

김 대표   (슬며시 쇠 지렛대 잡은 손 놓는)
정   야. (김 대표 정 보면) 늦었어.

김 대표에게 목검 휘두르는 정의 모습에서!

진검승부

S#10　　　**중앙 지검 전경 (낮)**

아라(소리)　　…진정.

S#11　　　**아라의 사무실 (낮)**

서늘히 앞을 노려보고 있는 아라.
그 앞, 공손한 자세로 서 있는 정.
각자 자리엔 박 수사관과 윤 사무관이 앉아 있고.

아라　　　넌 대체… 뭐 하는 놈이니?
정　　　　어… 검사?
아라　　　검사. 검사로서 지켜야 할 위계 명령 원칙 품위 따윈
　　　　　개나 줘 버린 니가 검사?
정　　　　예 저 검사 맞는데?
　　　　　(검찰 신분증 보여 주며) 중앙 지검 형사 3부…
아라　　　(이걸 확 그냥!) 그걸 내가 몰라 가지고 지금 내가.
정　　　　(움찔하고)
아라　　　미스테리다, 진짜 진짜 미스테리야.

아니 어떻게 너 같은 놈이 검사가 됐지?

정   (능글맞은) 뭐 특별한 게 있나요, 다 재능이고 운명이지.

(웃으며 아라 바라보는 데서)

S#12   몽타주

/ 초등학교 교실 [낮]

'경축, 스승의 날'이라 쓰여 있는 칠판.

거만하게 앉아 있는 여교사에게 일렬로 줄 서

선물을 바치고 있는 꼬마 아이들.

목걸이와 구두, 화장품 등 비싸고 좋은 선물은

환하게 웃으며 오른쪽에,

편지나 카네이션 같은 건 인상 구기며 왼쪽에 놓는 여교사.

교실 맨 끝자리, 삐딱하게 앉아 띠껍게

그 모습 바라보고 있는 아홉 살 어린 정.

정(소리)   인생 최초의 불의를 본 날 결심했죠.

야아 저건 내가 혼을 좀 내줘야겠다.

/ 초등학교 주차장 [낮]

여교사의 차 문 열쇠 구멍에 따조를 구겨 넣고 있는 어린 정.

한쪽에선 어린 철기가 망을 보고 있고.

(경과)

차 문에 열쇠를 꽂으려 하는 여교사. 열쇠가 안 들어간다.

왜 이러나 싶어 보면, 따조로 꽉 막혀 있는 열쇠 구멍...!

바들바들 떨며 경악하는 여교사.
일각 모퉁이, 그 모습 지켜보며 피식 웃는 어린 정,
철기와 하이 파이브를 하고.

/ 정의 모 가게 [낮]
엄마에게 회초리를 맞고 있는 어린 정.

정의 모   어떻게 된 애가 하루가 멀다 하고 사고만!
           (찰싹) 대체 커서 뭐가 되려고! (찰싹) 뭐가 되려고
           이렇게 엄말 속상하게 해 어?!
어린 정   아냐! 나도 될 거 있어!

뒷주머니에서 주섬주섬 뭔가를 꺼내 엄마에게 건네는
어린 정.
정의 모 보면, 유희왕 카드다.
마왕을 베고 있는 검사의 그림과 함께 제목,
'정의 수호의 검사.'
카드 내용엔 **'세상 모든 악의 무리와 맞서 싸우는
진정한 수호자'**라 쓰여 있고.

정(소리)   멋있더라고요 정의 수호의 검사.
           그래서 검사가 되기로 했는데...

/ 체육관 [낮]
'고등학교 검도 국가대표 상비군 선발대회'

폴래카드가 붙어 있는 체육관.
압도적인 실력으로 상대방을 압도하는 정.
그런 정을 관중석에서 응원하는 철기.
상대방이 정을 공격할 때마다 서로 눈빛 주고받으며
고개 끄덕이는 심사위원과 심판.

정   (우뚝 멈추곤) 이 양반들이 지금 장난하나.
               (확 호면 벗어 던지며) 뭘 그렇게 눈빛을 교환해요 비밀친구야?!

심사위원석으로 걸어가 채점지 빼앗는 정.
채점지 귀퉁이, 작게 메모가 쓰여 있다.
'한국검도회장 둘째 아드님.'
채점지를 쿠겨버리는 정. 호완(장갑)과 두건,
가슴 보호대 하나씩 벗어가며 밖으로 걸음 옮기고.

정(소리)   이건 칼 든 거만 똑같지 이 검사가 그 검사가 아닌 거야,
               정의 수호랑 거리도 멀고.

/ 거리 (낮)
목검 든 채 터덜터덜 걸음 옮기는 정,
빌딩 전광판에선 검사 임용 관련 뉴스가
자막으로 흘러나오고 있다,
'법무부, 정부청사 대강당에서 신입 검사 53명 임용식 진행.'
무심히 뉴스 보다가 주머니에서 뭔가를 꺼내는 정.
낡고 해진 유희왕 카드다.

정(소리)	유치하게 무슨 검사냐, 엄마 가게 일이나 돕자 싶었죠.
	근데 그때!

쓸쓸히 카드 바라보다 찢어 버리려는 그때!
갑자기 번뜩 든 생각에 휙 빌딩 전광판 뉴스를 바라본다.
뉴스 자막 중 '**검사**'라는 두 글자를 물끄러미 바라보는 정.

정(소리)	운명이 찾아오더라고요.
	나쁜 놈들 싸그리 응징해 버리는, 진짜 검사라는 운명이.

그러다 고개 돌리면, 벽에 붙어 있는 전단지,
'전염병 예방 '**검사**' 지금 신청하세요.'
지나가는 버스 광고판 보면,
'MMORPG 리니지 신규 직업! 검은 '**검사**' 업데이트!'
유희왕 카드를 보는 정.
'세상 모든 악의 무리와 맞서 싸우는 진정한 수호자'

/ 법무부 강당 (낮)
'**신임 검사 임관식**' 플래카드가 붙어 있는 강당.
법복을 입고 앉아 있는 신임 검사들.
단상 위 의자엔 이장원과 김태호, 검찰 간부들이 앉아 있고.

사회자	이어서 검사 선서가 있겠습니다. 신임 검사 대표, 진정.

선서를 하기 위해 자리에서 일어서는 사람들.

그런데, 아무도 단상 위로 안 오른다…?

사회자　　(당황스러운) 신임 검사 대표 진정. 단상 앞으로.

여전히 아무도 오르지 않는다. 웅성거리기 시작하는 사람들.

사회자　　검사 진정, 자리에 없습니까?
정(소리)　여기 있습니다!

일동 돌아보면, 강당 출입문,
추리닝에 슬리퍼, 자다 일어난 듯 까치 머리에
목검 등에 메고 있는 정…!

정　　　　(헉헉대며) 죄송합니다. 내일인 줄 알았어.

어이없게 정을 바라보는 사람들.
배시시 웃음 짓는 정의 모습에서.

/ 법무부 건물 앞 (낮)

사진 촬영을 위해 계단에 서 있는
신임 검사들과 검찰 간부들.
그 사이에 혼자 추리닝 입고 서 있는 정.
심기 불편한 얼굴로 정을 노려보는 이장원.
김태호는 재밌다는 듯 옅게 미소 짓고.

사진기사 　　자 찍습니다. 하나 둘...

환하게 웃으며 주먹 불끈 쥐어 보이는 정. 찰칵=!

S#13　　아라의 사무실 (낮)

아라　　(심각한) 그래 들은 적 있어. 입관식 때 추리닝에
　　　　폭겁 들고 온 놈 있었다고. 그냥 괴탑인 줄 알았는데.

정　　　(거만한) 괴탑이라기보단 영웅 설화 같은 거지.
　　　　날 때부터 검사의 운명을 타고났다 뭐 그런.
　　　　그니까 선배님도 잘해. 내가 이렇게 막 함부로 대접 받고
　　　　그럴 사람이... (하는데)

아라　　(다시 한번 확 책상 위 서류 던지려 하면)

정　　　(움찔하고)

아라　　(후우... 심호흡하고) 너 내가 김 대표 냅두라고 했어 안 했어.

정　　　했습니다.

아라　　근데 이건 지금 뭐 하자는 걸까?
　　　　(이 악물고) 왜 자꾸 말 안 듣고 혼자 나대면서
　　　　사고를 치고 다니는 걸까?
　　　　이제 겨우 독립하고 1학년밖에 안 된 새파란 햇병아리 주제에?

정　　　병아리는 노란색... (아라 보면)

아라　　(노려보고 있고)

정　　　(입 다물고)

아라　　우리 제발 적당히 하자 진정.
　　　　내가 요즘 너만 생각하면 자다가도 벌떡벌떡 깨.

그리고 검사가 왜 목검을 들고 다녀 왜!

정   (항변하듯) 진검 들고 다닐 순 없잖아요.

아라   (멍하니 보다가, 화 꾹 참고) 나가. 나가서 당장 시말서 써.

S#14   정의 사무실 (낮)

이리저리 목검 돌리며 컴퓨터 모니터 바라보고 있는 정.
파일 폴더 안, 시말서_210420, 시말서_210507,
시말서_210703, 시말서_210713 등
지금까지 1년간 써 온 시말서들이 주르륵 보이고.

정   ...날짜만 바꿔도 모르겠지? ...모를 거야.

시말서 하나를 골라 이름 바꾸기를 하는 정.

철기   (사건 서류 쌓인 수레 밀고 들어오는) 검사님, 배당입니다.

정   배당이 오면 뭐 하나 그냥 또 자질구레들이겠지.
           (서류들 툭툭 옆으로 치우며, 투덜투덜)
           봐봐 이거 노상 방뇨 업무 방해 음주 소란,
           이러니까 내가 밖으로 안 다니고 배겨?
           어떻게 1년 동안 죄다 이런...

하다가 멈칫, 마지막 서류,
'서초동 박예영 폭행 및 살인사건'이다.

정	(살인사건?!) 철기야.
	(서류 들어 보이는) 이거 잘못 들어온 거 아니지?
철기	(헉 놀라고) ...!!

서초동 살인사건 서류를 넘기는 정.
장난기 없이 진지한 표정.
경찰 조서, **'단독범행'**, **'흉기는 나무 칼꽂이'**, **'현장에서 자수'**,
'피의자는 시신과 함께 하루를 보냈다 진술.'
등등이 보이고. 조서 바라보는 정의 표정에서.

S#15   회상, 박예영의 집 현관문 앞 (밤)

다세대 주택 현관 앞, 서 있는 순경1, 2.

순경1	(벨 누르는) 경찰입니다. 신고받고 나왔습니다.
	(반응이 없다, 다시 벨 누르는) 계십니까?

하며 현관문 당기는데, 끼익 열리는 현관문.
조심스럽게 안으로 들어가는 순경1, 2.

S#16   회상, 박예영의 집 거실 (밤)

어두운 거실 안.
손전등을 비춰가며 안을 살펴보는 순경1, 2.
마구잡이로 쓰러져 있는 집기들 등

곳곳에 보이는 격렬한 싸움의 흔적들...
문득 부엌 쪽에서 뭔가를 발견한 순경1.
손전등을 비춰보곤 헉 놀라 얼어붙는다.
불빛이 가리키고 있는 그곳,
피투성이가 된 채 죽어 있는 박예영...! (20대 여).
박예영 근처엔 혈흔이 묻은 나무 칼꽂이가 놓여 있고.
그때 갑자기 끼익 열리는 방문.
거실로 걸어 나오는 누군가, 효준이다.

순경들   (효준의 옷에 묻은 피 보곤 경악! 테이저건 겨누며) 움직이지 마!

무선으로 급히 지원 요청을 하는 순경2.
얌전히 두 손 드는 효준.

S#17   **검찰청 취조실 (낮)**
사복을 입은 채 자리에 앉아 있는 효준.
잠시 후 문이 열리고, 안으로 들어오는 정,
효준의 맞은편에 앉는다.
악수하자는 듯 수갑 찬 손 내미는 효준.
정 뭔가 싶어 효준 보면,

효준   반갑습니다.
정   (피식) 집어넣으세요. 손모가지 부숴 버리기 전에.
         시작하죠. (서류 보는) 김효준 나이 28세 직업 택배기사.
         김효준 씨는 현재 피해자 박예영 씨에 대한

폭행 및 살인 혐의로 조사를 받고 있습니다.

형법 제244조에 의거

심문 시 불리한 진술을 거부할 권리가 있으며,

권리를 포기하고 한 진술은 법정에서

유죄의 증거로 쓰일 수 있습니다.

(서류 덮는) 존대는 여기까지. 이해됐어?

효준   (끄덕이고)

정   얘기나 한번 들어 보자. 니가 지금 여기 왜 앉아 있는지.

S#18   **회상, 다세대 주택가 골목 (밤)**

세차게 내리는 비.

양손 가득 택배 박스 든 채 걸음 옮기는 효준.

금방이라도 폭발할 것만 같은 표정.

점장(소리)   너 한번만 더 고객 물건 파손 해 봐! 당장 짤릴 줄 알아!

S#19   **회상, 박예영의 집 현관문 앞 (밤)**

현관 벨을 누르는 효준. 반응이 없다.

다시 한번 눌러도 마찬가지.

짜증스런 얼굴로 문 앞에 물건을 내려놓는 효준.

그때 갑자기 벌컥 열리는 현관문.

현관문에 머리를 세차게 부딪힌 효준.

뒤로 넘어지며 우지끈 다른 택배 상자를 뭉그러뜨린다.

효준	(뭉그러진 상자 보다가, 살기 어린 눈으로 박예영 노려보는)
박예영	죄송합니다, 죄송합니다. (물건 챙겨 현관문 닫으려 하는데)
효준	야!!
	(일어서 현관문 붙잡는, 뭉그러진 박스 내밀며) 변상해.
	너 때문에 이렇게 됐으니까 니가 물어내라고.
박예영	왜, 왜 이러세요. 죄송하다 말씀 드렸잖아요.
효준	죄송? 야 이 쌍 진짜, (위협적으로 박예영 손목 잡는)
	야, 넌 죄송하다 그럼 다 끝나?
	물어내라고 확 죽여 버리기 전에.
박예영	자꾸 이러시면 경찰에 신고할 거예요?
	놔, 놓으라니까?
	(다른 집에 도움 청하는) 저기요! 누가 여기...!

하는 그때,
훅 박예영의 입을 막으며 집 안으로 들어가는 효준.
쾅 닫히는 현관문.

S#20   **회상, 박예영의 집 거실 (밤)**

난장판이 된 거실. 부엌으로 도망치는 박예영.
그런 박예영을 뒤따라가는 효준.
나무 칼꽂이에서 식칼을 뽑으려 하는 박예영.
하지만 효준이 한발 먼저 칼꽂이를 채 간다.
우수수 바닥에 떨어지는 식칼.
나무 칼꽂이를 든 효준, 박예영에게 다가가는 테서.

S#21   **검찰청 취조실 [낮]**

정   그래서 죽였다. 기분이 나빠서.

효준   (정 보는)

정   (서류 보는) 피해자를 죽이곤 범행 다음 날 자수...

           (효준 보는) 왜? 자수할 거였으면 그날 해도 됐잖아.

효준   잤어요 피곤해서.

정   (표정)

효준   몰랐는데 질기더라고 사람이.

           나중엔 진이 다 빠져서... (배시시 웃는)

정   자수는 왜 한 거야.

효준   어차피 걸릴 거 자수하는 게 나으니까요.

           정상 참작 되죠?

           더 들을 것도 없다. 탁탁 서류 모아 정리하는 정.

           문득 효준을 보면, 두 손 테이블 위에 올려놓은 효준.

           오른쪽 손목엔 왼손잡이용 시계를 차고 있고.

           효준의 모습에서 묘한 위화감을 느끼는 정.

           가만히 효준 바라보는 데서.

S#22   **검찰청 밖 일각 [낮]**

           포승줄에 묶인 채 호송버스에 오르는 효준.

           그 모습 가만히 바라보고 있는 정.

           잠시 후 정에게 다가오는 한 사람, 아라다.

아라	얘기 들었어. 서초동 살인사건.
정	무슨 일이세요?
아라	오늘 형사부 전체 회식이야. 7시 청심관.
정	(가기 싫은) 아... 근데 제가 오늘은... (하는데)
아라	작년에도 너 혼자 빠졌다. 이번엔 차장님도 오시니까 무조건 참석해.
정	(정말 가기 싫은) 아... 근데 제가 사건이... (하는데)
아라	정황이랑 증거 확실하잖아 자백까지 했고. 기소 처리하면 되지 뭐가 문젠데.
정	그러게요. 근데 이상하게 자꾸 걸리네.
아라	냉정하게 생각해.
정	(아라 보는)
아라	내용은 보고서에 다 있어. 아무것도 믿지 말고 서류만 봐. 그게 검사가 할 일이야.
정	(작게 한숨 내쉬는, 여전히 뭔가 찜찜하고)

S#23   정의 사무실 (밤)

자리에 앉아 사건 서류를 보고 있는 정.
박예영의 생전 사진, 효준의 머그샷과 신상 명세서,
택배 트럭 사진이 나오고.
서류 넘기면, 박예영의 시신, 혈흔 묻은 칼꽂이,
현장에서 검출된 효준의 지문과 감식 사진들...
지긋이 서류 보다가 피곤한 듯 마른세수를 하는 정.
벽시계 보면, 6시 30분이다.

정   (진짜 가기 싫다) ...뭐라 핑계 대지?

             순간 떠오른 좋은 생각.
             핸드폰으로 아라에게 문자 보내는 정.

정(소리)   미안해요 선배. 제가 집에 가스 불을 키고 와서.

             재킷 챙기는 정.
             밖으로 나가기 위해 벌컥 문 열면,
             그 앞, 떡하니 서 있는 아라...!
             자연스럽게 다시 사무실 문 닫으려 하는 정.
             턱 하고 문틈 사이로 발을 집어넣는 아라.
             가만히 정 째려보고.

S#24   **고급 한정식집 앞 (밤)**

             가게 앞, 일렬로 도열해 있는 김태호와 아라, 형사부 검사들.
             아라한테서 네 명 정도 떨어진 곳엔
             뿌루퉁한 표정의 정이 서 있고.
             잠시 후 가게 앞에 서는 고급 승용차.
             일제히 자세를 바로 하는 검사들.
             차에서 내리는 두 사람, 이장원과 도환이다.

검사들   (일제히 인사) 안녕하십니까 차장님!
김태호   오셨습니까.

이장원에게 꾸벅 인사하는 김태호,
권위적인 얼굴로 살짝 고개 끄덕이는 이장원.
탐탁지 않은 얼굴로 도환을 보는 아라.
그런 아라를 옅은 미소로 보는 도환.
묘한 긴장감 속에서 서로를 바라보는 네 사람.
정은 그러거나 말거나 여전히 뚱한 얼굴이고...

이장원　　...들어가지.

가게 안으로 걸음 옮기는 이장원.
그 뒤를 따라 걸음 옮기는
김태호와 도환, 아라, 정과 다른 검사들.

S#25　　**고급 한정식집 룸 (밤)**

상석에 앉아 있는 이장원. 양옆엔 김태호와 도환이 앉아 있다.
정과 아라, 나머지 검사들은 기수 순으로 앉아 있고.

아라　　(일어서 건배사 하는) 다들 따랐지?
　　　　우리 형사부는 뭐다? 뚝배기!
검사들　　뚝심 있게! 배짱 있게! 기운차게! (일제히 술 마시려 하는데)
이장원　　잠깐.
검사들　　(멈칫, 이장원 보고)
이장원　　(심기 불편한) 이 자리는 형사부 단합의 자리야.
　　　　그럼 건배사도 다 같이 해야 의미가 있는 거 아닌가?

하며 앉아 있는 누군가를 노려보는 이장원.

검사들 일제히 시선 따라가 보면,

급하게 회를 집어 먹고 있는 정...!

정   (시선 느끼곤 멈칫, 슬며시 회 제자리에 갖다 놓으며) 죄송합니다.

            제가 물고긴 오랜만이라.

아라   (아주 그냥 쟤 때문에 미쳐 버리겠고)

도환   (정 보는)

이장원   김 부장, 내가 이런 말까진 안 하려 했는데... (하는데)

정   (혼잣말) 그럼 안 하면 되는데.

다 들렸다. 일순 싸해지는 분위기.

정   (분위기 느끼곤) 죄송합니다. 혼잣말이었는데.

이장원   이제 보니 힘이 아주 넘치는 친구였구만 진 검사가.

            혼잣말도 이렇게 크게 하는 걸 보면 말야.

아라   마음 쓰지 마십쇼 차장님.

            제가 따끔하게 한마디 하겠습니다.

            (정에게 나가 있어라 고갯짓)

정   (내가 뭘? 뚱한 얼굴로 나가면)

아라   실례하겠습니다. (나가려 하는데)

이장원   아냐 그럴 필요 없어. 이게 어디 저놈 혼자 잘못인가.

            따지고 보면 다 관리자 잘못이지. (김태호 보는)

김태호   (담담히 앉아 있고)

아라   아닙니다 제 잘못입니다.

제가 교육을 좀 더 확실히... (하는데)

김태호   (가만히 있으라) 신 검사.

아라   (김태호 보는)

김태호   (이장원에게) 죄송합니다 차장님. 시정하겠습니다.

이장원   (언짢지만 딱히 할 말은 없는, 검사들에게 잔 들며) 한잔하지.

일제히 잔 드는 검사들,
이장원이 마시는 속도에 맞춰 잔을 기운다.
담담한 얼굴로 잔을 비우는 김태호와 도환.
짜증스레 정의 빈자리 바라보는 아라.
몰래 핸드폰 문자 찍기 시작하고.

S#26   **고급 한정식집 화장실 (밤)**

아라에게 온 문자를 보는 정. **'넌 이제 뒤졌어.'**

정   그러게 누가 이런 데 데려오래?
         가뜩이나 사건 땜에 찜찜해 죽겠는데...

하는 그때, 안으로 들어오는 손님.
세면대 옆에 시계를 풀어 놓곤 손을 씻기 시작한다.
무심코 손님이 풀어 놓은 시계를 보는 정.
순간 표정 멈칫!
자신의 손목시계와 손님의 시계를 번갈아 확인하는 정.
손님의 시계,

용두가 일반 손목시계와 다르게 왼쪽에 달려 있다.

◀ **플래시백**

1화 21씬
두 손 테이블 위에 올려놓은 효준.
오른쪽 손목엔 왼손잡이용 시계를 차고 있고.

정   (손님에게 다가가) 말씀 좀 묻겠습니다.
    이 시계 말입니다 선생님.
    용두 위치가 제 거랑은 다른 거 같은데...
손님 아 이거요? 왼손잡이 시계입니다.

S#27   **고급 한정식집 복도 (밤)**

잔뜩 화난 얼굴로 걸음 옮기는 아라.
때마침 화장실에서 뛰쳐나오는 정을 보곤,

아라   진정 너 이리 와.
      넌 애가 위아래란 개념이... (하는데)
정   고맙습니다 선배!
아라   어?
정   선배 덕분이에요. 가 보겠습니다! (휙 가게 밖으로 나가는)
아라   (멍쩌서 바라보다가, 퍼뜩 정신 차리곤) 야! (쫓아 나가는)

S#28   **고급 한정식집 밖 (밤)**

밖으로 뛰어나오는 아라.
저 멀리 택시 타려 하고 있는 정이 보이고.

아라   (저 이 씨...!) 너 거기서 가기만 해 봐!
정   (화들짝 놀라 택시에 오르는)

부웅 출발하는 택시. 기가 차 택시 바라보는 아라.

S#29   **박예영의 집 앞 (밤)**

택시에서 내리는 정. 앞을 보면, 박예영의 집 앞이다.
대문 앞에 서 있던 순경 두 명, 정에게 경례하고.
안으로 걸음 옮기는 정.

S#30   **박예영의 집 거실 (밤)**

폴리스 라인을 젖히고 안으로 들어오는 정.
불을 켜면, 난장판이 된 집 안이 한눈에 들어온다.

정(소리) 집 안에서 발견된 김효준의 지문.

+   인서트
집 안 곳곳에서 지문 채취를 하는 국과수 요원.
방문을 열어 박예영의 방을 바라보는 정.

정(소리)　　　지문이 발견된 건 이상할 게 없어.

　　　　　　현장에서 시신이랑 같이 있던 놈이었으니까.

◀　　　　**플래시백**

　　　　　　1화 16씬

　　　　　　거실로 걸어 나오는 누군가, 효준이다.

　　　　　　부엌, 나무 칼꽂이가 있던 곳을 바라보는 정.

정(소리)　　　다만 이상한 건... 흉기에 묻어 있던 지문. 김효준 오른손.

◀　　　　**플래시백**

　　　　　　1화 20씬

　　　　　　나무 칼꽂이를 든 효준, 박예영에게 다가가고.

정(소리)　　　왜? 김효준은 왼손잡인데.

◀　　　　**플래시백**

　　　　　　1화 21씬

　　　　　　두 손 테이블 위에 올려놓은 효준.

　　　　　　오른쪽 손목엔 왼손잡이용 시계를 차고 있고.

정(소리)　　　근데 발견된 건 오른손 지문만이다? 앞뒤가 안 맞아.

　　　　　　난장판이 된 집 안 한 가운데 서 있는 정.

　　　　　　심각한 표정에서.

S#31 　　　　고급 한정식집 룸 안 (밤)

술에 취해 불콰한 얼굴의 이장원.
잠시 후 주방장이 복어회를 들고 들어온다.

주방장　　　(이장원 앞에 복어회 놓으며) 오늘의 스페셜 요리, 복어회입니다.

화려한 복어회를 보며 감탄하는 검사들.
만족스런 미소 짓는 이장원, 주방장에게 잔을 건네준다.
술을 따라 주려 하는데,

주방장　　　죄송합니다. 제가 술을 못해서.
이장원　　　그러지 말고 받어. 수고했다 주는 술이니까.
주방장　　　마음만 받겠습니다. 제가 칼질하는 게 일이라... (하는데)

거칠게 탕 술병 내려놓는 이장원.
순식간에 조용해지는 분위기.
아라와 김태호, 이장원 바라보고.

이장원　　　이 새끼가 지금 누구 앞이라고... 야, 너 나 누군지 몰라?
아라　　　　(작게) 또 시작이네...
도환　　　　(담담한 얼굴로 술 마시고)
이장원　　　나 차장검사야 이 새꺄. 근데 니가 뭔데 내 말을 무시해.
　　　　　　이깟 거 만든다고 유세 떠는 거야!
　　　　　　(복어회 확 주방장에게 던지는)

아라	!!
주방장	(발끈해 이장원 노려보는)
이장원	이 새끼가 어디서 눈깔을...!

주방장의 **뺨**을 날리려는 이장원.
순간 덥석 이장원의 팔을 잡는 한 사람, 김태호.

김태호	많이 취하셨습니다. 그만하시죠.
이장원	너 이 씨... 뇌, 뇌 이 새꺄!
김태호	보는 눈이 많습니다.
	지검장 내정까지 되셨는데 추문이 터지는 건 피하셔야죠.
이장원	(멈칫, 김태호 보는)
김태호	(차분히 이장원 바라보고)
이장원	(보다가, 진정하고) ...여기까지만 하지.
김태호	(검사들에게) 차장님 일어나신다.

S#32   **고급 한정식집 밖 (밤)**

이장원의 차 뒷문을 열어 주는 도환.
뒤쪽엔 김태호와 아라, 검사들이 서 있고.
격려하듯 툭툭 도환의 어깨 쳐 주는 이장원.
차에 오르려다 멈칫, 서 있는 김태호를 노려본다.
그 시선 담담히 마주하는 김태호.
출발하는 차를 향해 꾸벅 인사하는

김태호와 아라, 도환, 검사들.

김태호   신 검사.

아라   예 부장님.

김태호   (지갑에서 카드 꺼내 아라에게 주는)

애들 명색이 회식인데 제대로 먹지도 못했어.

다른 데라도 데려가서 실컷 먹여.

아라   감사합니다.

김태호   난 이만 가 볼 테니까 수고 좀 하고.

아라   조심히 들어가십쇼.

(서 있는 검사들에게) 부장님... (하는데)

김태호   (웃으며 말리는) 됐어 그러지 마.

니 상사 꼰대 만들어 뭐 하려고.

아라   어? 티 났습니까?

김태호   (친근하게 아라 팔 툭 치곤) 간다. 술 적당히 먹고. (걸음 옮기는)

꾸벅 인사하는 아라, 김태호 바라보며 미소 짓고.

S#33   **경찰서 전경 (낮)**

형사(소리)   수사 보고서요?

S#34   **경찰서 강력계 사무실 (낮)**

자리에 앉아 있는 형사(40대 남).

그 앞엔 정과 철기가 서 있고.

형사	(핸드폰 품 안에 넣으며) 예 제가 작성했는데, 문제 있습니까?
정	아니 뭐 다른 건 아니고, 확인할 게 좀 있어서.
형사	확인이요?
정	(들고 있던 서류 넘기며)

정   (핸드폰 품 안에 넣으며) 예 제가 작성했는데, 문제 있습니까?

형사   (핸드폰 품 안에 넣으며) 예 제가 작성했는데, 문제 있습니까?

정   아니 뭐 다른 건 아니고, 확인할 게 좀 있어서.

형사   확인이요?

정   (들고 있던 서류 넘기며)

살인 흉기에서 피의자 지문이 채취됐네요?

(형사 보는) 피의자 오른손 지문.

형사   그런데요?

정   이상하지 않아요?

내가 알기로 피의자 김효준은 왼손잡이거든.

형사   (표정)

정   (서류 넘기곤) 이거 피의자 진술서 자필 맞죠.

형사   예 김효준이가 직접... (하는데)

정   취조 영상 봅시다.

형사   (애써 당황 감추곤) 갑자기 취조실 영상은 왜...

정   진술을 여기서 하진 않았을 거 아니에요.

오른손 왼손 뭘로 썼는지만 확인하면 되니까 가져오세요.

형사   (큼... 헛기침하는)

정   뭐 하세요 안 갖고 오고.

형사   (잠시 있다가, 대뜸) 아 진짜 더러워서 못 해 먹겠네.

뭐 하는 거예요 지금? 제가 뭐 부실 수사라도 했단 겁니까?

정   (보는데)

형사   검사면 검사답게 책상에 앉아 계세요 들쑤시고 다니지 말고.

지금 이러는 거 우리 되게 불편하게 하는 거야.

정 주위 보면, 곱지 않은 시선으로 정을 바라보고 있는 형사들.

정   그건 내 알 바 아니고, 빨리 내놓기나 해요.
             취조 영상 어딨습니까.

형사   (일어서는) 하드 점검 중입니다.
             점검 끝나면 보내드릴 테니까 들어가세요. 예?

정 힐끔 형사의 책상 보면,
서류들 사이에 끼어 있는
자동차 팸플렛과 매매계약서가 보이고.

형사   요즘 경찰들 이런 거 안 참아요. 험한 꼴 보기 전에 가세요.

정   험한 꼴은 내가 아니라 그쪽이 봐야지. 얼마 받았냐.

형사   뭐라고요?

정   영상 지우는 대가로 얼마 받았냐고.
             (자동차 팸플렛과 매매계약서 빼 드는) 8천?
             (손목 잡고 소매 제끼면, 고급 시계가 보이고) 오백 더?

형사   이 양반이 말이면 단 줄 아나!
             (확 정의 멱살 잡는) 내가 내 돈 주고 샀다 왜!

정   돈 주고 샀단 놈 치고 한 놈도 지 돈 쓰는 거 못 봤다.
             냐, 이거 안 냐?

서로 멱살을 붙잡고 몸싸움을 벌이는 정과 형사.
다급히 두 사람을 말리는 형사들과 철기.
난리법석한 사람들.

S#35   경찰서 밖 (낮)

쫓겨나듯 튕겨져 나오는 정과 철기.

정   이 자식들이 내가 누군지 알고! 니들 몇 살이야!
            관등성명 뭐야!
철기   (말리는) 검사님, 검사님.
정   (씩씩대다가, 확 표정 바꾸는) ...안 걸렸지?

            씨익 웃으며 품에서 뭔가를 꺼내는 정.
            보면, 형사의 핸드폰이다.

◀   **플래시백**
            1화 34씬 연결
            몸싸움을 벌이는 정과 형사.
            형사의 재킷 안쪽에서 핸드폰을 슬쩍하는 정.

정   (형사의 핸드폰 건네주며) 포렌식 돌려.
            급한 거니까 최대한 빨리.
철기   예. (핸드폰 받아 빠지고)
정   (결연한 표정으로 걸음 옮기는)

S#36   **정의 사무실 (낮)**

            안으로 들어오는 정. 책상 향해 걸음 옮기는데,

아라(소리)	어디 갔다 오냐?
정	아 깜짝이야!! 뭐예요 귀신도 아니고 남의 사무실에서.
아라	시끄럽고, (정의 손에서 서류 뺏어 들어 보이는) 뭐냐 이거?
	왜 아직도 니가 들고 있어?
정	아직 의심스런 정황이 있어 그래요.
	제 얼굴 봐서라도 시간 좀만 더 주세요.
아라	니 얼굴 보면 될 것도 안 돼. 오늘 안에 기소 처리해.
정	에헤이 진짜, 의심스런 정황이 있다니까?
아라	그러니까 의심스런 정황 뭐!
정	(차마 말하진 못하겠고) 있어 봐요 지금 조사 중이니까.
아라	(기가 차 정 보다가) 안 되겠다. 사건자료 내 자리에 갖다 놔.
정	!! 선배.
아라	내 말부터 들어 후배. 정황 갖고 떼쓰는 건 아무나 다 해.
	수사 계속할 확실한 증거 있어?
정	(아라 보는, 표정)
김태호(소리)	점심시간은 한참 지난 걸로 알고 있는데.

두 사람 고개 돌려보면, 문 쪽, 서 있는 김태호.
(경과)
서 있는 정과 김태호, 아라.

김태호	수사에 시간을 달라... (생각에 잠기는)
정	이대로 기소를 하기엔 납득이 안 가는 부분이 있습니다.
아라	아닙니다 부장님. 진 검사 말은 무시하시고... (하는데)
김태호	(손 들어 아라 말 막곤) 현장에서 피의자 지문이 발견됐어.

	피의자는 자신이 한 짓이라 자백까지 했고.
	근데도 아직 시간이 필요하다...
	(미소) 우리 형사부 문제아 님께서는.
정	(단호한) 예, 필요하다 생각합니다.
김태호	만약 내가 허락지 않으면?
정	할 겁니다 그래도.
아라	(맙소사... 눈 감아 버리는)
김태호	(미소 짓는) ...해 봐.
정,아라	!!
김태호	의심이 가면 끝까지 파헤치는 게 맞아.
	사건에 어떤 작은 의혹도 남겨선 안 된다는 건
	검사의 기본 중 기본이고.
정	감사합니다 부장님.
김태호	제대로 한번 날뛰어 봐.
정	예!

S#37   몽타주

/ 박예영의 집 밖 일각 [낮]

행인과 이야기를 나누고 있는 정과 철기.
박예영의 집을 가리키는 정. 행인은 모르겠다 고개 젓고.

/ 다세대 주택가 골목 [낮]

박예영의 집이 보이는 골목 어귀. (순경 두 명이 서 있는)

블랙박스가 설치된 차 근처에서 이야기 나누는 정과 차주.

차주   그날은 제가 여기 차를 안 댔는데...
정   감사합니다. (작게 한숨 내쉬고)

/ 박예영의 집 앞 (낮)
박예영의 우편함을 뒤지는 정과 철기. 아무것도 없다.

/ 박예영의 집 방 안 (낮)
방 안 곳곳을 수색하는 철기의 모습.

/ 박예영의 집 뒤편 (낮)
유심히 바닥과 화단 등을 살펴보고 있는 정.
하지만 특별히 단서 될 만한 것은 보이지 않는다.
창문을 여는 철기, 정에게 아무것도 없다는 듯 고개를 젓고.
점점 초조해지는 정의 표정.

S#38   **다세대 주택가 골목 (낮)**

방범용 CCTV를 바라보고 있는 정과 철기.

철기   예산 문제로 깡통 된 지 오래된 CCTV입니다.

난감한 얼굴로 작게 한숨 내쉬는 정.
철기 역시 난감하긴 마찬가지인데,

그때 진동 울리는 철기의 핸드폰.

철기   (받는) 이철기입니다.

          (듣고, 정에게) 검사님, 포렌식 결과 나왔답니다.

정   (표정에서)

S#39   경찰서 앞 (밤)

도로 위 정의 차 안.

경찰서를 지켜보고 앉아 있는 정과 철기.

운전석엔 정, 조수석엔 철기가 앉아 있다.

철기   사건 접수된 후 누군가와 통화한 기록이 있습니다.

          통화 시간은 1분. 번호는 대포입니다.

정   계좌는.

철기   특별한 이상은 없습니다. 아내와 문자 내용 확보했습니다.

서류 건네주는 철기.

정 서류 보면, 형사와 아내의 문자 대화들.

아내, **'여보 장롱에 들어 있는 돈 뭐야?' '비자금이야?'**

'비자금은 무슨, 냅둬.' 등등.

정   (문자 내용 보고 있으면)

철기   소환 절차 밟을까요?

정   불법 취득인데 괜히 우리가 독박 쓸라. 정공법으로 가자.

때마침 경찰서 밖으로 나와 걸음 옮기는 형사.
형사 바라보는 정의 모습에서.

S#40   **거리 (밤)**

거리를 걷고 있는 형사.
그때 갑자기 옆에 서는 정의 차.

정   (차창 내리고, 다급히) 형사님! 타요!
형사   뭐, 뭐야 당신.
정   설명할 시간 없어요! 빨리!
형사   (얼결에 정의 차에 오르는) 왜요? 무슨 일인데... (하는데)
정   (퍽 형사에게 주먹 날리는)
형사   아! (열 받아 정 보는데)
정   (당황, 뒷좌석 보며) 야 이거 왜 기절 안 해?

뒷좌석에서 갑자기 나타난 철기.
확 형사의 얼굴에 보자기를 씌우고.
"잡아 잡아!"
"턱 때리면 되는 거 아니었어?"
"목 목, 목 조르세요."
아등바등 거리는 형사를 붙잡는 정과 철기.
비틀비틀 부웅 출발하는 정의 차.

S#41   **이장원 차장검사실 (밤)**

소파에 앉아 있는 이장원과 김태호.
각자 앞에는 찻잔이 놓여 있고.

이장원	이번 서초동 살인사건. 왜 시간을 허락한 거지?
김태호	(차 마시는)
이장원	사람이 죽었어. 20대 여자, 폭행, 살인,
	국민들이 제일 분노하는 이슈가
	이 사건 안에 다 들어가 있다고. 이게 무슨 뜻인지 몰라?
김태호	(담담한 표정)
이장원	피해자 유가족이 항의 서한까지 보냈어.
	수틀려서 기자회견 한다 하기 전에 기소 처리해.
	어이 김 부장, 내 말 안 들려?
김태호	(찻잔 내려놓는)
	죄송하지만 차장님 지시는 따르지 못할 거 같습니다.
이장원	(험악해지는) 뭐?
김태호	말씀하신 것처럼 국민들이 분노하고 있는 사건입니다.
	그러니 더욱더 신중하게 접근해야지 않을까요?
이장원	내가 당장 마무리 지어라 해도… 그냥 개기겠다?
김태호	그렇게 이해하셨다면 유감이고요.
이장원	야 김태호 너…!! (하는데)
김태호	말씀 전에 제가 먼저 묻겠습니다.
	수사를 빨리 마무리 지으라 하시는 이유,
	핑계가 아니라 진짜 저의가 궁금합니다.
이장원	(노려보는)
김태호	없으시다면 수사는 계속 진행하겠습니다.

(일어서서, 예의 바른) 차장님에 대한 예단, 사죄드립니다.

(꾸벅 인사 후 나가는)

김태호를 노려보는 이장원.

그러다 어느 순간, 표정 불안하고 초조하게 바뀌는 데서.

S#42   **지하 밀실 (밤)**

확 벗겨지는 보자기. 의자에 묶인 채 힘겹게 눈을 뜨는 형사.

정(소리)   정신이 들어?

형사 화들짝 놀라 앞을 보면,

서늘한 얼굴로 서 있는 정과 철기.

형사   이런 미친 새끼…! 너 이거 풀어, 당장 이거 풀어!

정   (형사 보는)

형사   너 뭐야? 너 검사가 이래도 돼?!

정   어 이래도 돼. 니들 같은 놈들한텐 특히 더.

형사   …!!

정   내가 이 바닥 생활하면서 느낀 게 뭔지 아나?

           니들 같은 놈 잡으려면 더 악랄하고

           더 뒤통수를 쳐야 한다는 거야. 니들보다 더.

형사   나 경찰이다. 너 지금 대형 사고 치는 거야.

정   (보는)

형사	이거 걸리면 절대 그냥 못 넘어가.
	지금이라도 모른 척 해 줄 테니까 풀어.
정	참 사람 감 없다.
	저기요 형사님,
	풀어 줄 거였으면 제가 여길 왜 데려왔겠어요.
형사	!!
정	걸리지만 않으면 되는 게 니들만 있는 게 아니에요.
	나도 안 걸림 장땡이야.
형사	(겁먹은 얼굴로 정 보는)
정	본론 가자. 누가 시켰어.
형사	무, 무슨 말씀이신지...

뒤춤에 숨겨 놨던 장도리를 꺼내 형사에게 다가가는 철기.
자신의 손을 겨냥하고 있는 장도리를 보며
흠칫 긴장하는 형사.

정	마지막이야. 김효준 취조 영상, 누가 지우라 시켰어.

아무 말 하지 않는 형사.
결국 정, 철기를 향해 고개 끄덕인다.
일말의 망설임도 없이 장도리를 내리치는 철기! 쾅-!
아아악!! 고통 어린 비명을 지르는 형사. 그런데, 안 아프다?
슬며시 보면, 손에서 벗어나 있는 장도리가 보이고.

철기	죄송합니다. 다시 가겠습니다. (장도리 드는데)

형사	!! 잠깐, 잠깐만요!
철기	(멈칫)
형사	누군진 정말 모릅니다! 그냥 그 영상만 지워 달라 했어요!
정	김효준 자필 진술서. 왼손이야 오른손이야.
형사	(주저하고)
정	묻잖아. 어느 손이냐고.
형사	왼손으로 썼습니다.
철기	(정 보고)
정	오케이, 영상 어딨어.
형사	예?
정	완벽하게 없애진 않았을 거 아냐 니 미래를 위해서라도.
	영화 같은데 보면 꼭 하나쯤은 남겨 놓더구만.
형사	(멀뚱) ... 태웠는데요? 하드 통째로.
정	(짜증스레 형사 보다가) 좋아 그럼 이렇게 하자.
	기회를 줄게.
	니가 인간으로서 도의를 다할 수 있는 기회.

슥 장도리 들어 보이는 철기.
미치겠다는 듯 한숨 내쉬는 형사.

| 아라(소리) | 뭐? |

S#43 구치소 앞, 아라의 사무실 교차 (낮)

핸드폰 통화하며 차에서 내리는 정.

정	이 사건 처음부터 잘못됐어요.
	김효준 범인 아니에요.

자리에 앉아 통화 중인 아라. 심각한 표정.

정(소리)	사건 담당 형사한테 확인했습니다.
아라	(작게 한숨 내쉬곤) 재수사해야겠네. 어디야.
정	재수사 중입니다.

핸드폰 내리는 정.
앞을 보면, 이제야 드러나는 건물, 구치소다.
성큼성큼 구치소 향해 걸음 옮기는 정.

S#44   구치소 면회실 (낮)

유리 벽을 사이에 두고 마주 앉아 있는 정과 효준.

효준	무슨 일이세요? 법정에서나 얼굴 볼 줄 알았는데.
정	깜빵 생활은 어때? 할 만해?
효준	지금 제 걱정해 주시는 거?
정	그럴 리가. 난 사람 죽인 놈 걱정 안 해.
	죽인 놈이 맞나 의심은 해도.
효준	재밌네 이 사람. 지금 제가 범인이 아니란 거예요?
정	그걸 왜 나한테 물어 니가 더 잘 알고 있으면서.
	잘 들어 김효준.

20대 한 여성이 잔인하게 폭행당하고 살해됐어.
피의자는 반성의 기미는커녕
웃음으로 일관하고 있고.

효준 (보는데)

정 난 너한테 법정 최고형을 구형할 거야.
너 같은 놈이 다신 사회에 나오지 못하게 하는 게,
그게 내 의무니까.

효준 (바라보고)

정 근데, 만약 니가... 범인이 아니라면?

품에서 형사의 진술서를 꺼내 탕 유리 벽에 붙이는 정.

정 니 사건 담당형사한테 받은 거야. 읽어.

효준, 형사의 진술서 보면,
'김효준은 평소 왼손잡이인 걸로 추정되지만,
사건에 사용된 흉기엔 오른손 지문이 묻어 있었다.'
'현금을 받고 취조 당시 영상을 삭제.'
'왼손으로 자필 진술서 작성.' 등등의 문구가 보이고.

정 이래도 버틸 거냐?

효준 (정 노려보는)

정 누구야, 니가 닥치고 그 안에 있기 바라는 사람.
너 범인 아니잖아. 누구야 그 새끼.

효준 하나만 말하죠.

정	(기대로 보는데)
효준	(유리 벽에 가까이 다가가, 도발하듯 미소 짓는) 나 범인 맞아.
정	...!!
효준	내가 그 여자 죽였다고. 됐지?
정	(효준 노려보고)
효준	다신 찾아오지 마.

비릿한 미소 지으며 밖으로 나가는 효준.
문이 닫힌다. 자리에 홀로 앉아 있는 정.

정	(결연하고 서늘한) 승부욕 생기게 하네...

S#45 검찰청 앞 (낮)

지검으로 걸음 옮기는 정.
그때 갑자기 정에게 달려드는 기자들과 카메라.

정	(무슨 일인가 싶은데)
기자1	케이비씨 김원욱 기자입니다.
	서초동 살인사건 담당 진정 검사님 맞으시죠?
정	!!
기자1	아직도 피의자를 기소하지 않는 이유가 뭡니까?
기자2	검사님과 피의자가 개인적인 관계인가요?
기자3	고의적으로 사건을 뭉개고 있단 의혹에 대해서도
	말씀 부탁드립니다.

정   (난감하게 됐다, 작게 한숨 내쉬고)

S#45-1   몽타주

/ 거리 (낮)
도심 곳곳 빌딩 전광판. 뉴스 속보가 송출되기 시작한다.
걸음을 멈추고 빌딩 전광판 속 뉴스를 보는 사람들.

앵커(소리)   서초동 살인사건에 대한 국민들의 분노가 뜨겁습니다.

/ 버스 안 (낮)
핸드폰으로 뉴스 방송을 보고 있는 사람들.

앵커(소리)   유력한 살인 용의자를 검거하고도
             검찰이 의도적으로 기소를 하지 않고 있단 의혹까지
             제기되고 있는데요.

/ 이장원 차장검사실 (낮)
TV 뉴스 방송을 보며 비릿한 미소 짓는 이장원.

앵커(소리)   최근 검경수사권 조종으로 경찰이 수사종결권을 갖게 되자,
             이에 반발한 검찰의 의도적인 수사 뭉개기가 아니냐는
             논란까지 나오고 있는 상황입니다.

S#46   이장원 차장검사실 (낮)

소파에 앉아 있는 이장원과 김태호, 정.

이장원   (짐짓 심각한 척) 신문이며 방송이며 난리도 아냐.
        경찰이 수사해서 송치한 사건을 왜 깔고 앉아 있냐고.
정   (허! 기가 차 이장원 보는데)
김태호   (말리듯 정의 팔 잡곤) 진 검사가 계속 사건 수사 중입니다.
        조금만 기다려 주시면... (하는데)

테이블 위에 툭 태블릿 PC 던지는 이장원.
정과 김태호 태블릿 PC 보면, 뉴스 기사 헤드라인,
'무능한 검찰의 사건 뭉개기.
검경 수사권 조정 둘러싼 공작 의혹 일파만파.'

정, 김태호   !!
이장원   이 시간부로 두 사람은 사건 손 떼.
        진 검사는 잠깐 집에서 좀 쉬고.

S#47   **검찰청 복도 (낮)**

밖으로 나오는 정과 김태호.

김태호   미안하다. 내가 힘이 없어서... (분한 마음에 말 잇지 못하고)
정   부장님이 왜 미안해 하세요.
        수사 막고 있는 놈은 따로 있는데.

        (차장검사실 노려보고)

김태호	이제 어쩔 셈이야?
정	만나 봐야죠. 새로운 사건 담당 검사.

S#48 도환의 사무실 (낮)

서초동 살인사건 서류를 보고 있는 도환.
그때 똑똑 노크 소리.
도환 고개 들어 보면, 안으로 들어오는 정.

(경과)

도환	사건 재수사?
정	이 사건은 처음부터 철저하게 조작된 사건입니다.
	김효준을 범인으로 만들기 위해서요.
도환	(정 보는)
정	이건 그냥 단순한 살인사건이 아닙니다.
	분명 저희가 모르는 배후가 있습니다.
도환	배후?
정	흉기에 지문을 심고 영상 하나 지우는 대가로
	수천을 태울 수 있는 사람.
	아마 꽤 급이 높은 사람일 겁니다.
	어떤 식으로든 피해자와 연관되어 있을 거고요.
도환	(피식 미소) 그건 너무 소설인데.
정	소설이 아닙니다.
	진술서를 보시면 아시겠지만... (하는데)
도환	진 검사, (부드러운) 우리 진술서 얘긴 하지 말자.

강압에 의한 진술은 법적 효력 없다는 거 알고 있잖아.

정　　　(표정)

도환　　물론 니 얘기가 진짜일 순 있어.

검찰이 오인 사격 하는 거야 흔한 일이니까.

그래도 안타깝지만 어쩔 수 없을 거 같다.

이미 위에선 빨리 기소해라 지시 내려왔고,

내 입장에선 그걸 따를 수밖에 없거든.

정　　　(보는)

도환　　결국 우린 조직의 일원일 뿐이야.

(농담조로) 먹고 살려면 어쩌겠어 더러워도 참아야지.

정　　　더러운 걸 왜 참습니까.

더러운 건 치우는 겁니다. 참는 게 아니라.

도환　　(보는)

정　　　재수사가 힘들다면 공판 기일 연기라도 부탁드립니다.

저 이 사건 절대 이대로 못 넘겨요.

무슨 수를 써서라도 진범 그 새낀 제가 꼭 잡을 겁니다.

도와주십쇼 선배님. (고개 숙이는)

도환　　왜 이렇게 이 사건에 신경 쓰는 거지?

피의자가 너랑 관련 있는 것도 아니잖아.

정　　　(보는)

도환　　진실 찾기 그런 건가?

검사로서 한 명의 억울한 사람도 남기지 않겠다,

뭐 이런 전형적인?

정　　　아뇨 그런 건 아니고... 재수가 없는 겁니다.

도환　　(??, 정 보는)

정	진범 그놈이요. 검사 중에 하필 저한테 걸려 가지고.
도환	(피식 미소 짓는) 소문대로네. 그럼 일단 공판 연기 신청부터?
정	!! 감사합니다, 감사합니다 선배님!
도환	(웃으며 정 바라보고)

(경과)

형사의 진술서를 바라보는 도환.

이장원(소리)　서초동 살인사건, 자네가 맡아.

S#49　회상, 이장원 차장검사실 (밤)

책상의자에 앉아 있는 이장원. 그 앞엔 도환이 서 있고.

도환	그 사건은 진 검사가 수사를 하는 걸로 알고 있습니다만.
이장원	중요한 건 오 검사, 이 건이 자네한텐... 두 번 다시 없을 기회란 거야.
도환	(보는)
이장원	남부 지검 부장 자리가 공석이야. 금융 범죄 전담부, 요직 중 요직이지. 어때, 내가 봤을 땐 그 자리가 자네한테 잘 어울릴 거 같은데.
도환	차장님이 왜 이토록 사건에 신경 쓰시는진 여쭤보지 않겠습니다. 누군가한텐 단순한 살인사건이, 다른 누구한텐 숨겨야 할 비밀이 될 수도 있으니까요.

이장원	해서, 대답은?
도환	더 큰 거 주시죠.
	가령 예를 들면... (슥 차장검사 명패 들어 보이는)
이장원	(비릿이 미소 짓는) 이제 보니 내가... 호랑이를 키우고 있었구만.
도환	(미소로 이장원 보는)

S#50   도환의 사무실 (낮)

형사의 진술서를 바라보는 도환. 결심했다.
천천히 진술서를 찢기 시작한다.

판사(소리)   사건번호, 2022고합54.

S#51   몽타주

/ 정의 집 앞 (낮)
정 문을 열면, 어두운 얼굴로 서 있는 철기.

판사(소리)   피고인 김효준의 폭행 및 살인 혐의에 대해
다음과 같이 선고한다.

/ 아라의 사무실 (낮)
자리에 앉아 있는 아라. 심각한 표정으로 한숨 내쉬고.

판사(소리)   형법 제260조. 유죄.

/ 정의 차 안 (낮)

자신의 차에 올라타는 정. 급히 차를 출발시키고.

판사(소리)　　형법 제250조. 유죄.

/ 법원 (낮)

법복을 입고 서늘한 얼굴로 서 있는 도환.
차분한 표정으로 피고인석에 앉아 있는 효준.

판사(소리)　　범행이 무척 잔인한 점,
반성의 기미를 전혀 보이고 있지 않다는 점,
피해자 유가족이 엄벌을 요구하고 있는 점을 종합,
피고인 김효준에게, 징역 20년을 선고한다.

의미 모를 한숨 내쉬며 눈 감는 효준.
냉정한 얼굴로 걸어 나가는 도환.

S#52　　　**정의 차 안 (낮)**

빠른 속도로 도로를 달리고 있는 정의 차. 분노에 찬 정의 표정.

S#53　　　**도환의 사무실 (낮)**

법복을 옷걸이에 거는 도환.
한쪽엔 아라가 도환을 바라보며 서 있고.

아라	재수사 여지 충분했어. 무리하게 기소한 이유가 뭐야?
도환	합당한 기소였으니까.
아라	(도환 보다가) 꽤 큰 거 약속 받았나 봐? 이장원 차장한테.

S#54   검찰청 로비 (낮)

분노 가득한 얼굴로 들어오는 정.
검찰 신분증을 출입문에 찍는다.
삐- 소리와 함께 열리지 않는 문.

보안	(콘솔 보곤) 죄송합니다. 근신 중엔 지검 출입이... (하는데)

훌쩍 문을 뛰어넘어 안으로 들어가는 정.
"저기요!" 보안 그 뒤를 쫓아가고.

S#55   도환의 사무실 (낮)

아라	(비꼬는) 사람들 놀라겠다.
	지검 에이스 오도환이 이런 썩은 놈인 줄 누가 알았겠어.
	올라갈 수만 있다면 아무나 범인 만들어 버리는.
도환	(피식 냉소로) 그 말 하러 여까지 온 거야?
아라	뭐?
도환	신 검사 요즘 한가한가 보네.
	남의 사건에 오지랖 부릴 시간도 있고.
아라	오지랖이 아니라 정도의 문제야 오 검사.

적어도 법복 입는 검사라면 최소한의 양심 정돈... (하는데)

쾅 문을 열고 뛰어 들어오는 정.
뒤따라 사람들도 안으로 들어오고.

정   (서늘히 도환 노려보는) 왜 그랬냐.

도환   (정 보는)

정   대답해. 왜 그랬어 새끼야!

도환   (피식 냉소하는) 순진한 건지 멍청한 건지.

정   뭐?

도환   넌 대체... 검찰이 뭐라 생각하냐?

정   (보는)

도환   정의와 진실? 인권?
         진심으로 그렇게 생각하는 건 아니길 바래.

정   (도환 노려보는)

도환   장담하는데 여기 있는 사람 중 그런 거 바라는 사람 없어.
         여긴 올라갈 수만 있다면 어떤 사건도 덮고
         조작할 수 있는 곳이니까.

정   (꾸욱 주먹 쥐고)

도환   인맥과 배경이 있다면 있는 죄도 기소유예 처분해 주는 곳.
         대를 위해 소를 희생시키고 집단의 이익에 반하는 놈은
         누구라도 쳐 버리는 곳.
         너 같이 혼자 나대는 불량품 따위는
         절대 살아남을 수 없는 곳. 그게 여기 검찰이야 진 검사.

아라   (정의 주먹을 본, 점점 불안해지고)

도환	조만간 차장님이랑 셋이 같이 자리하자.
	너도 이번 건 수업료 냈다 생각하고... (하는데)
정	순진한 건지 멍청한 건지.
도환	(정 보는)
정	넌 대체... 날 뭘로 보는 거냐?
도환	(보고)
정	착각하지 마 나도 다 알아.
	니들이 날 불량품이라 부르는 것도 알고
	여기가 니가 말한 것처럼 썩어 빠진 데란 것도 알아.
아라	(정 보는)
정	근데 문제는 뭔지 알아?
	모르는 척 넘어가니까 이 자식들이 자꾸 선을 넘어.
도환	(정 보는)
아라	진정... 하지 마.
정	이번엔 니들 너무 갔어. 그러니까 이제부터 내가,
	니들 같은 새끼들 전부 다 박살내 줄게.

힘껏 도환에게 주먹을 날리는 정!
픽! 바닥에 쓰러지는 도환. 휙 정을 노려보고.
경악해 정을 바라보는 아라.
이를 악물고 도환을 노려보는 정.
정과 도환 아라, 세 사람의 모습에서...!!

- 1화 끝 -

episode ❷

‘불량품 폐기실’이라 불리는 민원봉
사실로 좌천되고만 정. 민원봉사실
실장 박재경은 정보다 결코 덜하지
않는 원조 꼴통 검사다.
온갖 말 같지도 않은 민원을 처리하
던 중 ‘서초동 살인사건’ 진범에 대
한 단서를 얻는 정. 불량 검사의 반
격은 이제부터 시작이다.

S#1 　　　　**도환의 사무실 (낮)**

　　　　　　힘껏 도환에게 주먹을 날리는 정! 퍽! 바닥에 쓰러지는 도환.

정　　　　　(도환의 멱살 잡아 일으켜 세우는) 일어나. 아직 안 끝났어.

　　　　　　정 다시 한번 도환 때리려 하는 그때!

이장원(소리)　뭐 하는 짓들이야?!

　　　　　　멈칫하는 정과 도환, 아라.
　　　　　　세 사람 뒤돌아보면, 이장원이 서 있다.
　　　　　　성큼성큼 다가와 정의 뺨을 날리는 이장원. 짝-!

정　　　　　!!
이장원　　　미꾸라지 한 마리가 여기가 어디라고 물을 흐려.

S#2   정의 사무실 [낮]

책상 위 인사발령서를 집어 드는 정.
**'중앙 지검 형사 3부 검사 진정 -
공명정대한 세상과 사회정의 실현을 위한
국민의 민원봉사실 발령.'** 이게 뭔가 싶은 정의 표정.

S#3   검찰청 앞 [낮]

박스를 든 채 걸음 옮기는 정.
쓱 뒤돌아 지검 건물을 바라본다.
잠시 지검을 바라보다가 걸음 옮기기 시작하는 정.

S#4   검찰청 뒤편 쓰레기 집하장 [낮]

건물을 빙 돌아 쓰레기 집하장으로 걸음 옮기는 정.
산을 이루듯 쌓여 있는 일반 쓰레기와
재활용 쓰레기들이 정을 맞이한다.
잘못 왔나 싶은 정. 그때 문득 보이는,
집하장 옆 우두커니 자리한 낡은 컨테이너.
정 컨테이너로 다가가 보면, 낡은 현판이 붙어 있다.
**'공명정대한 세상과 사회정의 실현을 위한
국민의 민원봉사실.'**
맙소사... 넋이 나간 채 아무 말도 못 하는 정.

S#5   민원봉사 사무실 (낮)

허름하고 낡고 단출한 컨테이너 사무실.
안으로 들어오는 정. 아무도 없다.
다들 어디 갔나 싶은 그때,
사무실 안으로 들어오는 한 사람,
박재경이다. 슬리퍼에 색 바랜 러닝,
목에는 수건을 건 추레한 아저씨의 모습.

박재경   (간이침대에 걸터앉아) 신입?
정   아 예, 오늘부로 민원봉사실 발령 받았습니다.
            진정입니다.
박재경   환영한다. 박재경이다. (악수 청하는)

손 내미는 정. 근데 뭔가 이상하다?
정 보면, 가위바위보 하듯 가위를 내고 있는 박재경.

정   (이 사람 뭐야 싶고) 근데 여긴 뭐 하는 곳입니까?
박재경   앞에 써 있잖아. 민, 원, 봉, 사, 실.
정   예 보긴 봤는데, 이런 데가 있는 줄은 전혀 몰랐어 가지고.
박재경   몇 기냐?
정   예?
박재경   몇 기냐고 사법연수원.
정   로스쿨인데요.
박재경   솜털 뽀송한 분이 뭔 잘못을 하셔 가지고.

니 짬보다 오래된 데니까 공손하게 잘 다녀.

정   다른 사람들은...

박재경   없어, 다 그만뒀어.

정   예?

박재경   자세한 건 나중에 얘기하고, 왔으니까 일 해야지.

정   (뭔가 불길하다, 박재경 바라보는 데서)

진검승부

S#6   **양아치의 차 안 (밤)**

도로를 달리는 고급 승용차.
운전석엔 양아치(20대 남),
뒷좌석엔 여자가 고개를 푹 숙인 채 앉아 있고.

양아치   언니는 콜떼기 처음인가 봐?

          이름 뭐라고 저장하면 되나?

여자   (고개 푹 숙인 채 아무 말 안 하고)

양아치   과묵하신 분이네. 가게 바로 갈게 언니.

S#7   **룸살롱 앞 (밤)**

양아치   (차 멈춰 세우곤) 현금 삼만 원 되겠습니다.

팁도 주면 더 좋고...

하는 그때, 고급 승용차 앞에 멈춰 서는 차 한 대.
차에서 내리는 한 사람, 정이다.
'불법 택시 단속' 띠를 대각선으로 두르고 있는 정.
차창 두드리며 나오라 손짓.

양아치   뭐야 갑자기...
          언니 미안한데... (하며 뒤돌아보면)

고개를 드는 여자.
이제야 드러나는 여자의 얼굴, 여장한 철기다!
화들짝 놀라 으아아 소리 지르며
차 문 박차고 나가는 양아치!

S#8   **번화가 거리 (밤)**

도망치는 양아치와 그 뒤를 쫓아 달리는 정과 철기.

S#9   **5층 건물 앞 (밤)**

갑자기 튀어나오는 차를 피해 멈칫하는 양아치.
뒤돌아보면, 정과 철기가 달려오고 있다. 에이 씨...!
건물 안으로 도망치는 양아치.
놈을 쫓아 건물로 들어가는 정과 철기.

S#10　　　**5층 건물 옥상 (밤)**

옥상 문 박차고 튀어나오는 양아치.
잠시 후 정과 철기도 옥상으로 달려오고.

정　　　다 튀었냐? 그럼 이제 일로 와.
양아치　뭐야 니들, 경찰이야?
정　　　아니. 검사.
양아치　검사?
　　　　이게 어디서 생구라를, 무슨 검사가 단속을 나와?!
정　　　(착잡한) 그래 나도 내가 지금 뭔 짓 하는지 모르겠다.
　　　　여튼 너 걸렸어 일로 와.

도망칠 곳을 찾아 주변을 둘러보는 양아치.
문득 너머에 다른 건물 옥상이 보인다.
뛰면 될 것도 같고 안 될 것도 같은 애매한 거리.
옥상 간 거리 가늠하는 양아치.

정　　　야야 그러지 마. 그거 아무나 넘는 거 아니다.
　　　　재수 없게 떨어지면 너 죽어.
양아치　(피식) 그건 당신 생각이지.

다른 건물 옥상을 향해 힘껏 달리는 양아치.
그 모습 놀라 바라보는 정과 철기...!
양아치, 으아아 소리 지르며 점프!

그대로 으아아아 소리 지르며 밑으로 떨어지고...

정과 철기 놀라 보면,

쓰레기 더미 위에서 신음하고 있는 양아치.

아프겠다... 찡그리며 양아치 바라보는 정과 철기.

S#11   **민원봉사 사무실 전경 (낮)**

박재경(소리)   너 대체 뭔 짓을 하고 다니는 거냐?

S#12   **민원봉사 사무실 (낮)**

실장 자리에 앉아 있는 박재경. 그 앞엔 정과 철기가 서 있고.

박재경   민원 처리하라 보냈더니 왜 사람 다리를 부러뜨려?

         니가 깡패야?

         (철기 가리키는) 그리고 앤 뭔데 여기 있어?

철기   이철기 수사관입니다. 인사이동 자원했습니다.

박재경   지랄 났다 지랄 났어 아주 그냥 대단한 부하 두셨어 진 검사님.

         이따구로 할 거면 때려쳐 아무도 안 말리니까.

         아님 뭐 시위라도 하는 거야?

         명색이 검산데 이런 짓 못 하겠다고?

정   맞습니다 시위하는 거.

박재경   뭐?

정   솔직히 말할까요? 지금 이게 뭐 하는 짓인가 싶습니다.

         그동안 제가 처리한 일이라곤

+	인서트

모텔로 들어가는 50대 연인.

차 안에서 연인들 모습 카메라로 찍는 정.

정(소리)　불륜 뒷조사.

주택가 골목,

도망치는 강아지(포메라니안 정도)를 쫓아 달리는 정.

정(소리)　도망친 개 잡기.

밤거리, 택시를 잡고 있는 정.

보도에는 술 취한 아저씨가 쓰러져 있고.

정(소리)　대신 택시 잡아주기.

주택가 골목-2,

도망치는 강아지(포메라니안 정도)를 쫓아 달리는 정.

정(소리)　또 도망친 개 잡기.

정　　　이런 일들이 전부입니다.

　　　　동네 파출소에서도 담당하지 않는 일들이요.

　　　　그리고 대체 왜 파출소가 저희한테 민원을 넣는 겁니까?

　　　　저흰 그걸 또 왜 처리하고 있고요.

박재경　콜떼기처럼?

정　　　예 콜떼기처럼!

박재경　(멀뚱히) 왜긴 왜겠냐... 이런 일 하는 데니까 이러지.

정　　　예?

박재경	내가 널 괴롭히고 싶어서가 아니라요 검사님.
	여긴 원래 이런 민원 처리하는 데예요.
	예순세 살 정년 끝날 때까지.
정	(기가 차 말도 안 나오고)
박재경	여기 진짜 이름이 뭔지 아냐?
	불량품 폐기실.
	딱 너 같이 말 안 듣는 놈들 알아서 옷 벗으라고 응?
	대놓고는 좀 그러니까.
정	만약 제가 사표를 안 쓰면요?
박재경	그럼 별수 있나 계속 이리 사는 거지.
직원	(박스 든 채 안으로 들어오는) 민원이요.

사무실 한쪽 구석 쌓여있는 박스 위에
가져온 박스를 올려놓는 직원.
박스 안에서 서류 한 장이 빠져나온다.
정 보면, 민원 처리 요청서다.
'저희 집 강아지가 또 도망쳤어요.'
끄아아 온몸으로 울분과 분노를 표하는 정.

박재경	걔 거 고소한다 그럼 여럿 골치 아파져.
	가서 콜떼기한테 사과해.
정	예?!
박재경	싫음 사표 쓰던가. 뭐 해 안 가고? 고고.

S#13   **김태호 부장검사실 (낮)**

소파에 앉아 TV 뉴스를 보고 있는 김태호.
심각한 표정.
TV 뉴스,
검찰청에 들어가는 이장원의 모습과 함께 자막,
'서울 중앙 지검 이장원 지검장 취임식 예정'

앵커(소리)   서울 중앙 지검 이장원 차장검사가
차기 신임 중앙 지검장에 임명되었습니다.
이장원 지검장은 공정한 법치주의를
가장 중요한 가치로 여기는 검찰,
국민의 기대에 부응하는 검찰을 만들겠다 밝혔으며,
취임식 직후 부장검사를 필두로 한
대대적 쇄신 인사를 단행하겠다...

TV를 끄는 김태호. 잠시 후 노크 소리.
안으로 들어오는 아라.

김태호   음. (앉으라 손짓하는)
아라   (앉으면)
김태호   진 검사는 어때.
아라   열심히 살고 있습니다. 세상 잡일 혼자 다 하면서.
김태호   사건 수사는 더 이상 불가능해졌다...
(생각에 잠기는)
아라   차라리 잘된 일이라 생각하고 있습니다.
망아지 같은 자식 혼 좀 나 봐야 정신을 차리지.

| 김태호 | (미소로 사건 서류 아라에게 건네주는) |

뭔가 싶은 아라. 서류 펼쳐 보면,
유진철(40대 남)의 사진과 내사 자료들.
호텔과 유흥업소 사진들,
업소 재무제표와 각종 증빙 서류 등 보이고.

김태호	유진철이라고
	강남에서 유흥업소 몇 개를 운영하고 있는 놈이야.
	정·재계 고위직들한테
	스폰을 주선해 주고 있단 정보도 있고
	무엇보다... (뜸 들이다, 무거운)
	이장원 차장이랑 연결되어 있는 거 같아.
아라	차장님이요?
김태호	사안이 가볍지가 않아. 니가 한번 파 봐.
아라	(서류 보다가) 알겠습니다.
김태호	(고개 끄덕이는, 진지해지는 표정에서)

S#14 정의 차 안 (밤)

도로를 달리는 정의 차.
운전석엔 정, 조수석엔 철기가 앉아 있고.

| 정 | 피해자 박예영 쪽은? 알아낸 거 좀 있어? |
| 철기 | 현재까지 이렇다 할 단서는 없습니다. |

	현장 인근 포함 주변까지 전부 뒤져봤습니다만...
정	아무것도 없다. 마치 누가 일부러 지운 거처럼.
철기	(정 보는)
정	김효준은? 아직도 면회 거부야?
철기	계속 접촉을 취하고 있습니다만...
정	(답답한 한숨 내쉬는데)
철기	(심각한) 근데 검사님, 하나만 여쭤봐도 되겠습니까? 저희 뒤에 앉아 계신 분들...

하며 뒷좌석 보면,
각각 안전벨트를 매고 있는 부처님, 예수님,
성모 마리아 상!

정	내가 오죽하면 이러겠냐. 답은 안 나오고 난 이러고 있고, 님들한테라도 비벼야지.

정 카 오디오 플레이시키면,
사찰 범종 소리와 불경 소리 나오고.

철기	(이건 또 뭔가 싶고)
정	오늘은 부처님. 빌어 빨리 너도 뭐 하나 떨어뜨려 달라고.

S#15   **병원 양아치의 입원실 (밤)**

양다리에 깁스를 하고 있는 양아치.

TV를 보며 배달 음식 쩝쩝거리며 먹고 있다.

그 옆에 서 있는 정과 철기.

떨떠름한 정의 표정.

양아치	(짜증스레) 왜요 사람 밥 먹는데. 할 말 있음 빨리하고 가요.
정	괜찮은 거 같네 상태 보니까.
양아치	그건 의사가 판단할 문제고.
	조만간 소장에 진단서 넣어 보낼 테니까 확인해 보쇼.
정	(차마 입 떨어지지 않는) 이번 일은 내가... 내가
	미... (하는데)

그때 탁자 위 양아치의 핸드폰.

문자 알림 진동 울린다.

양아치	폰이나 줘 봐요.

아오 저걸 확...

마지못해 탁자 위 양아치의 핸드폰 집는 정.

양아치에게 갖다주려다 멈칫, 자세히 핸드폰을 본다.

카톡 메시지가 와 있다. **'오빠 오늘 나 11시 출근.'**

뭔가 싶은 정의 표정. 휙 핸드폰 채가는 양아치.

카톡 메시지 확인하기 시작한다.

정 쪽 몰래 핸드폰 엿보면,

여자들과 양아치의 대화방들이 여럿 보이고.

문득 정의 눈에 띄는 무언가.
'PYY'란 아이디와 대화를 나눈 대화방이다.
그리고 보이는 대화방 프로필 사진.
양아치의 핸드폰을 뺏는 정.
프로필 사진 확대해 보면, 박예영이다...!

◀ **플래시백**
1화 23씬
박예영의 생전 사진 바라보는 정.

양아치와 박예영이 나눈 대화를 보는 정.
'9시까지 와.' '누구 만나러 가는데?'
'아저씨.' 'ㅋㅋ 도착해서 연락할게.'
시간 조금 있다가
'어디야.' '5분 후 도착.' '빨리 와 늦었어.'
'기다리라 해 그 아저씨 너한테 빠져 산다며 ㅋㅋㅋ' 등
호스티스와 콜떼기 운전기사가 나눈 대화들이다.
순간 정의 귀에 환청처럼 들리는
사찰 범종 소리와 불경 소리.
정 고개 들어 보면,
부처님 가면을 쓰고 있는 양아치...!

정   (눈 비비고 다시 보면, 양아치의 모습이고)
양아치   뭐 해요 빨리 달라니까.
정   철기야, 문 잠가라.

(경과)

병원 창문에 거꾸로 매달려 있는 양아치.

침대에 걸터앉은 정.

철기는 양아치의 두 다리 붙잡고 서 있고.

정	그러니까 니 말은 박예영이 유흥업소 일을 했단 거지?
양아치	예, 예 맞습니다!
	전 그냥 배달, 아니 운짱만 했고요,
	나머진 진짜 몰라요, 정말입니다!
정	(양아치의 핸드폰 보여 주며) 문자 중에 아저씨, 누구야.
양아치	그냥, 그냥 예영이 단골손님!
	밥 사 주고 용돈 주고 그런 사람 있다 했어요!
정	박예영 집에도 찾아오고?
양아치	예!
정	누구야, 박예영 관리하는 놈.
양아치	예?
정	업소에서 일했다며 가게 주인 있을 거 아냐.
	아저씨란 놈한테
	박예영 소개시켜 준 사람 누구냐고.
양아치	어 그건... 그건 제가 잘...
정	(철기 보면)
철기	어이쿠. (한 다리 놓치는)
양아치	아아아악!! 말할게요, 말할게요! 유진철!!
정	누구?
양아치	유진철이라고 유흥업소 대표입니다!

장부랑 고객관리 그놈이 다 하고 있어요!

정   (유진철? 표정에서)

S#16   **이장원의 차 안 (밤)**

인적 없는 공터. 멈춰 서 있는 이장원의 차.

이장원   연락은 하지 말라 했을 텐데.

하며 조수석 보면, 앉아 있는 한 사람,
유진철이다.

유진철   요즘 검찰에서 저한테 관심이 많은 거 같더라고요.
                차장님 커버가 좀 필요할 거 같은데.
이장원   (냉소) 구걸하는 놈 치곤 꽤나 당당해 자네.
유진철   당당하지 않을 이유 없으니까요.
                (이장원 보는) 아시죠?
                제가 자크 열면 차장님 어떻게 되는지.
이장원   (서늘히 유진철 보는)
유진철   지검장 취임식이 별로 안 남은 걸로 아는데.
                그때 제 얼굴 보고 싶지 않으시면 나서 주세요 차장님.
                (입에 자크 채우는 시늉하는)
이장원   (보다가) 연락하지.

웃으며 차에서 내리는 유진철.

그런 유진철 바라보는 서늘한 이장원의 눈빛에서.

S#17   민원봉사 사무실 (낮)

생각에 잠긴 얼굴로 자리에 앉아 있는 정.
한쪽에선 박재경이 토계부를 작성하고 있고.
잠시 후 안으로 들어오는 철기.

철기   (정에게 다가와, 은밀히) 콜떼기 말이 맞았습니다.
　　　이놈입니다.
정　　 (보면, 유진철의 사진이다) 이 자식이
　　　박예영을 관리한 놈이란 거지?
철기   (쓱 박재경 보곤, 은밀히) 작업 준비하겠습니다.
정　　 (심각한) 우리 오늘 야근이야.
　　　착수하기엔 준비할 시간도 부족해.
철기   (심각한) 묘하게 현실적이네요.
정　　 (생각하다가) 불러 두 명.
철기   ...!!
정　　 애들 모으자 철기야. 엿을 먹었음 똥으로 갚아 줘야지.

S#18   이발소 (낮)

가운을 입은 채 의자에 앉아 있는 은지.
덥수룩하고 지저분한 머리가
은지의 눈까지 가리고 있다.

사장	(다가와 머리 만지며) 어떻게 해 드릴까요?

그때,
갑자기 우당탕 안으로 쳐들어오는 민구와 건달들,
은지 앞에 위협적으로 선다.
미동 없이 앉아만 있는 은지.

민구	누님, 솔직히 이건 너무하잖소 갑자기 은퇴라니.
은지	(앉아만 있고)
민구	이 바닥이 들락날락 변소도 아니고, 큰형님 찾으십니다.
	이발은 나중에 하시고...
	(하며 은지 어깨에 손 올리려 하는데)

그 순간,
빠르게 민구의 손목 잡아 꺾어 버리는 은지.
!! 한꺼번에 은지에게 달려드는 건달들.
빠른 몸놀림으로 건달들의 급소만
탁탁 가격해 쓰러뜨리는 은지.
저항 한번 못하고 추풍낙엽처럼 쓰러지는 건달들!

은지	(태연히 자리에 앉아) 예쁘게.

S#19   이발소 밖 (낮)

머리를 자르고 나온 은지. 핸드폰 사진첩을 연다.

사진첩,
식당에서 밥 먹는 정, 출근하는 정,
커피 마시는 정 등 죄다 정의 파파라치 사진들이다.
정의 사진을 보며 미소 짓는 은지.

은지   (핸드폰 진동 울리는, '서방님'이다, 차분히 받는) 어 진검.

S#20   **연예기획사 대표 사무실 (밤)**

떨리는 눈으로 메신저 대화 캡처본을 보고 있는 대표.
캡처본,
'오빠 음방 녹화 끝나면 대기실로 와♥',
'매니저 오빠 나갔어 들어와', '키스해 줄 거야?'
'나 오늘 속옷 야한 거 입었는데...',
'다음 주에 스케줄 빼서 파타야 가자.' 같은
낯간지러운 대화 내용. 대표 고개 들어 보면,
뽕짝을 흥얼거리며 거만하게 앉아 있는 중도.

중도   그러다 종이 뚫어지겠어. 그만 꿀 잡수고 말 좀 해 봐.
대표   이걸... 이걸 어떻게...?

가방에서 노트북 꺼내 테이블 위에 올려놓는 중도.
빠르게 키보드 두드리기 시작한다.
어느 순간 휙 노트북 돌려 대표 보여 주면,
화면에 쭉 뜨는 대표의 메신저 내용.

'박 피디 그 새끼…', '어린놈이 싸가지가 없어.',
'내가 찔러준 돈이 얼만데.',
'이번에 우리 애들 1위 만들려고 수천 썼다.'

대표	…!!
중도	앞으로 데이트 하자 그런 문자 클릭하지 마세요.
	핸드폰 남의 거 된다.
	(대표 옆에 앉는) 비즈니스 얘기나 계속합시다.
	이거 어쩔 거야 이거. 이대로 데스패치 팩스 보내?
	저흰 연애 한 번도 안 해 봤어요,
	연애 몰라 무서워 그러던 애들이 어?
	막 껴안고 후루룩 짭짭 그랬다고?
대표	얼마를… 원하십니까.
중도	그건 대표님이 제시해야지.
	얼마까지 보고 계서?

그때, 쾅 문을 박차고 들어오는 누군가,
은지다.

은지	나와.
중도	(당황) 야… 니가 갑자기 왜 나와?

자신의 핸드폰 보여 주는 은지.
중도 보면,
커플 위치 추적 어플 화면이 보이고.

은지	커플 어플. 진검이 너 감시하라 그래서.
	나와. 진검이 불러.
대표	(??) ...누구...?
중도	(짜증) 아 몰라 몰라, 아저씬 빨리 결정이나 해.
	돈이냐 밥줄이냐 둘 중 하나만 선택... (하는데)

그때 은지 뒤에 나타나는 누군가, 철기다.
중도를 바라보는 철기.

중도	(트와이스 'Yes or Yes' 노래 부르는) ...
	선택을 존중해! 거절은 거절해! 선택지는 하나,
	자 선택은 네 맘 it's all up to you.
	둘 중에 하나만 골라 Yes or Yes.
	(자연스럽게 밖으로 나가는)

S#21   유진철의 사무실 건물 앞 (밤)

10층 규모의 건물. 건물 앞에 멈춰 서는 택시.
귀부인 스타일로 차려입은 은지와
검은색 정장을 차려입은 중도가 내린다.
각각 큼직한 선글라스를 낀 두 사람.

S#22   건물 안내 데스크 (밤)

건물 내부 곳곳을 비추고 있는 CCTV 모니터들.

데스크 안 자리에 앉아
사무실 점검 리스트를 보고 있는 보안 직원.
잠시 후 보안 앞에 중도와 은지가 선다.

중도 (정중한) 늦은 밤 수고하십니다.
      저희 사모님께서 유진철 대표님 집무실에
      놓고 온 게 있답니다.
      잠깐 문 좀 열어 주시겠습니까?

보안 (은지 보고) 실례지만 누구신지...?

중도 비올라 박. 압구정 청담 갤러리 운영하고 있습니다.

보안 대표님과는 어떤 사이... (하는데)

중도 프라이빗. 더 설명 필요한가?

보안 왜 자꾸 그쪽이 대답을...
      확인 전화 한 통만 하겠습니다.
      (데스크 위 전화기 집어 드는데)

은지 오빠 지금 와이프랑 같이 있어요.
      지금 전화하면 오빠 많이 불편할 건데?

은지의 말에 살짝 당황하는 보안.
힐끔 중도를 보면, 엄숙히 쉿 사인을 보내는 중도.

보안 그래도 확인은 해야죠. 금방이면 됩니다.
      (전화번호 누르는)

S#23 **골프연습장, 건물 안내 데스크 교차 [밤]**

골프 연습을 하고 있는 유진철.
한쪽 테이블 위, 진동 울리는 유진철의 핸드폰.
지나가면서 자연스레 핸드폰을 가져가는 누군가,
철기다.

철기　(받는) 유진철 대표님 핸드폰입니다.

보안　여보세요? 전화 받으신 분 누구신지...?

철기　새로 온 대표님 비서입니다. 그쪽은?

보안　보안실입니다.

　　　다름이 아니라 대표님 손님이 오셔서요.

　　　갤러리 사모님께서 놓고 오신 물건 때문에

　　　확인차 연락드렸습니다.

철기　대표님? (핸드폰 막고 잠시 있다가) 열어 주시랍니다.

보안　알겠습니다. (끊고, 보안 카드 키 챙기는) 이쪽으로.

은지　(보안 따라가며, 중도에게) 김 기사는 여기 있어.

중도　예 사모님.

나가는 보안과 은지.
두 사람 나가자마자 CCTV 모니터 앞에 앉는 중도.
선글라스 머리 위로 올리곤 키보드 두드리기 시작하고.

S#24　　골프연습장 (밤)

없어진 핸드폰을 찾아 테이블 밑을 뒤지는 유진철.
그런 유진철을 자연스레 스쳐 지나가는 철기.

몸을 일으키는 유진철.
보면, 어느새 테이블 위엔 핸드폰이 놓여 있고.

S#25   **유진철 대표실 앞 (밤)**

대표실 앞에 도착한 두 사람. 은지 천장을 보면,
대표실 앞을 비추고 있는 CCTV 카메라 불빛이 꺼진다.
삑- 카드 키로 문을 열어 주는 보안.

S#26   **유진철 대표실 (밤)**

안으로 들어오는 은지. 문 밖에 서 있는 보안에게,

은지   고마워요. (문 닫으려 하는데)
보안   (문 막는) 저도 같이 도와드리겠습니다.
은지   괜찮아요. (다시 문 닫으려 하는데)
보안   (버티는) 그래도 같이 찾는 게 더 빠르죠.
         두고 가신 게 뭡니까.
은지   감당할 수 있겠어요?
보안   예?
은지   여기부턴 오빠랑 나랑 비밀공간이에요.
         모가지 걸 자신 있으면 들어오던가.

뒤로 물러서며 공손히 문 닫는 보안.
재빨리 선글라스 벗고 컴퓨터 앞에 앉는 은지.

컴퓨터 켜면, 로그인 암호가 걸려 있다.

가방에서 USB를 꺼내 꽂는 은지.

컴퓨터 화면, 로그인 해킹 프로그램이 뜬다.

중도에게 핸드폰 문자를 보내는 은지.

은지(소리)　　암호.

　　　　　잠시 후 문자 진동 소리.

　　　　　은지 핸드폰 보면, 'zh+i09!3$2nc*h#oi〈u1'

은지　　　...죽일까?

　　　　　짜증 꾹 참고 한 자 한 자 입력해 나가는 은지.

S#27　　**건물 안내 데스크 (밤)**

　　　　　어색한 분위기 속, 아무 말 없이 앉아 있는 보안과 중도.

　　　　　중도는 심하게 긴장한 표정이고.

보안　　　저기요.

중도　　　(깜짝 놀라) 예?

보안　　　실내인데 선글라스는 벗으시는 게...

중도　　　아... 이태리 스타일입니다. 다이죠부.

S#28　　**유진철 대표실 (밤)**

독수리 타법으로 하나하나 암호를 입력해 가는 은지.
마지막 암호 입력하고 엔터 누르면,
드디어 로그인되는 컴퓨터.
모니터 바탕화면,
온갖 파일과 폴더들이 바탕화면을 꽉 채우고 있다.

은지　　(가만히 보다가) 모르겠다.

C 드라이브 안 모든 파일을 USB에 복사하는 은지.
조금씩 차오르기 시작하는 파일 복사 게이지.

S#29　　**건물 안내 데스크 (밤)**

여전히 어색한 분위기 속에서 앉아 있는 보안과 중도.
잠시 후 한 사람이 건물 안으로 들어온다.
큼직한 선글라스와 귀부인 스타일로 차려입은 여자,
데스크 앞에 서면,

보안　　어떻게 오셨습니까?
여자　　진철 오빠 안에 있죠. (짜증) 사람이 연락을 안 받아.
보안　　자리엔 안 계시고 메시지 남겨드리겠습니다.
　　　　성함이…?
여자　　비올라 박.
중도　　!!
보안　　… 예?

여자	가뜩이나 짜증 나는데 진짜,
	비올라 박이라고 우리 식으로 박 비올라.
보안	아... 비올라 박 씨요... (서늘히 중도 보면)
중도	(쓱 자리에서 일어서) 진짜 있었구나. 비올라 박.

S#30   유진철의 사무실 건물 앞 (밤)

건물에서 튀어나와 도망치는 중도.
그 뒤를 쫓아 달리는 보안!

S#31   거리 (밤)

필사적으로 달리고 있는 중도.
뒤돌아보면, 그 뒤를 바싹 추격하고 있는 보안!
부스터 올리듯 으아아 소리 지르며 속력 높이는 중도!
점점 멀어지는 두 사람 사이 거리.
결국 지쳐 멈춰 서는 보안. 멀어져 가는 중도 바라보다가,
번뜩 든 생각에 뒤돌아 뛰어간다.

S#32   거리, 유진철 대표실 교차 (밤)

숨 헉헉대며 걸음 멈추는 중도.
그때 진동 울리는 중도의 핸드폰.

중도	(받으면)

은지	(차분한) 밖에 무슨 일이야?
중도	(숨 헐떡이며) 나 방금, 요단강, 진짜 죽을 뻔,
	비올라 박, 사람, 있었어.
은지	한국말이지?
중도	어쨌든 걸릴 뻔했다고. 지금 나와서 가는 길이야.
은지	(가만히 생각하다가) 나는?
중도	뭔 소리야 같이 빠져나와 놓고... (하다가 멈칫) !!

S#33   유진철 대표실 (밤)

USB를 빼내고 선글라스를 끼는 은지.
밖으로 나가려 하는 그때,
한발 먼저 안으로 들어오는 보안...!

보안	(테이저건으로 은지 겨누는) 움직이지 마!

그때 보안의 뒤에 나타난 누군가, 중도다.
소리를 지르며 소화기를 뿌리는 중도!
갑작스러운 중도의 공격에
테이저건을 떨어뜨리는 보안.
재빨리 테이저건을 주워 든 은지,
보안을 향해 방아쇠를 당긴다!
하지만, 분말 가루 땜에 허우적거리던 보안.
우연찮게 테이저건을 피해 버리고...!
보안의 뒤에 서 있다가 테이저건을 맞은 중도!

덜덜 경련 일으키며 소화기를 뿌려댄다.

경련 일으키며

이곳저곳 계속해서 소화기 뿌려대는 중도.

분말 가루 자욱한 와중에 보안을 발견한 은지,

세차게 뒤돌려 차기를 날린다!

하지만,

또 허우적거리며 우연찮게 발차기를 피해버리는 보안...!

퍽!

시원하게 중도의 얼굴에 꽂히는 발차기...

은지   !!

중도   (스르르 바닥에 쓰러지고)

선글라스를 벗는 은지.

분말 가루 때문에 눈 주위 빼고는 전부 하얗다.

휙 위로 선글라스 던지는 은지.

보안을 조준하고 제대로 뒤돌려 차기를 날린다!

퍽! 나가떨어져 기절하는 보안.

은지의 손에 착 떨어지는 선글라스.

은지 멋들어지게 선글라스 쓰는 데서.

S#34   **유진철의 사무실 건물 앞 (밤)**

건물 앞에 멈춰 서는 검찰 승합차들.

조수석에서 내리는 아라.

박 수사관과 수사관들은 뒷좌석에서
압수 수색 박스 들고 내린다.
수사관들과 함께 건물로 들어가는 아라의 모습.

S#35   **유진철 대표실 (밤)**

소화기 분말 가루로 난장판이 된 대표실.
컴퓨터는 다 부서져 있고 서류들은 죄다 찢어져 있다.
한쪽엔 기절해 쓰러져 있는 보안.
이게 뭔 일인가 싶은 아라.
그 뒤엔 박 수사관과 수사관들이 박스 든 채 서 있고.

박 수사관   이건 뭐... 아무것도 안 되겠는데요.

아라   (작게 한숨 내쉬는, 표정에서)

S#36   **중도의 가게 (밤)**

어두운 골목 끝,
불법적인 느낌이 한껏 풍기는 컴퓨터 수리점.
USB가 연결되어 있는 노트북.
마우스 스크롤 하며 파일들을 살펴보고 있는 중도.
옆에는 은지와 철기가 서 있다.
잠시 후 안으로 들어오는 정.

철기   오셨습니까.

정   중도 은지 잘 있었어? 오랜만이네.

은지   (미소로 살짝 손들며 인사하는)

정   (중도에게) 그동안 사고 안 쳤지?

중도   왜 이러셔 내가 사고는 무슨...

        (조용히 혼잣말) 널 치고 싶다 널 치고 싶어.

철기   (노트북 모니터 보다가) 검사님, 찾은 거 같습니다.

        모니터 화면, '서초동 박예영' 폴더가 보인다.

정   열어 봐.

        중도 폴더 클릭하면,
        쭉 뜨는 여러 개의 사진 아이콘들.
        가장 최근 사진을 클릭하는 중도.
        모니터에 뜨는 사진을 보곤 표정 얼어붙는 정.

철기   이거였군요.
        이장원 차장이 사건을 빨리 마무리 지으려 했던 이유가.

정   (충격으로 사진 보다가) USB는?

        정에게 USB를 내미는 중도.
        정이 받아 들려는 순간 획 손을 거둔다.
        어쩔 수 없이 품에서 서류 꺼내 건네주는 정.
        중도 서류 보면, 기소장이다.
        '죄명: 정보통신망법상 사실 적시에 의한 명예 훼손'

중도	이놈의 노비 문서 드디어 한 장 없애네. (서류 북북 찢는)
정	고중도 기소 몇 장 남았어?
철기	스물세 장 남았습니다.
은지	쓰레기.
정	(모니터 속 사진 보며, 철기에게) 유진철은?
철기	다리 묶어놨습니다.

S#37   **골프연습장 주차장 (밤)**

자신의 차에 올라타는 유진철.
차 출발시키는데,
덜컥 뭔가에 걸린 듯 움직이지 않는 차.
유진철 차에서 내려 타이어 보면,
누군가 휠에 자물쇠를 달아 놓았다.

유진철   뭐야 이거, 야 이 씨 어떤 새끼야!

유진철의 차 앞에 서는 차 한 대.
내리는 한 사람, 목검을 든 정이다.

정   아유 누가 이런 흉한 짓을...
(목검으로 자기 차 가리키는) 타세요. 좋은 데 모셔 드릴게.

S#38   **민원봉사 사무실 (밤)**

사무실 가운데 테이블에 앉아 있는 유진철.
한쪽엔 철기가 자리에 앉아 있고.

유진철   뭡니까 여긴?

정   (유진철 맞은편에 앉는) 앞에 서 있는 거 못 봤어?

         민, 원, 봉, 사, 실.

유진철   (??, 정 바라보고)

정   그런 게 있다. 자 일단 유진철 씨,

         나보다 연배는 높지만 내가 나쁜 놈은 사람 취급 안 해.

         말 짧아도 이해해 주시고,

         (서류 보며) 내가 너를 좀 봤어.

         마약 유통에 돈세탁 성매매 세금 탈루...

         참 열심히 살았다, 잘했어요 유진철 어린이.

유진철   당신 이거 어디서 났어.

정   대답할 거라 믿고 질문하는 건 아니길 바래.

         그리고 너 지금 그런 거 물어볼 때 아니야.

         이거 다 합치잖아? 너 최소 못해도 열 바퀴야.

유진철   (보는)

정   올해가 2022년이니까

         최대한 빨리 갔다 온다 해도 2032년.

         와 그땐 막 차도 날라다니고 그러겠다

         인조인간 돌아다니고.

유진철   (살짝 긴장해 정 보는)

정   지금이야 실감 안 나겠지만

         10년 이게 짧은 시간이 아니에요.

그리고 너 그렇게 들어가면 가족들은 어쩌게.

기다렸다 향 피우게?

유진철   (정 보다가) 원하는 게 뭐야.

정   이제야 말이 통하네. 서초동 살인사건. 이장원 차장.

S#39   **회상, 중도의 가게 (밤)**

          36씬 연결

          모니터에 뜨는 사진을 보곤 멈칫 표정 얼어붙는 정.

          이장원과 박예영을 찍은 사진이다.

          박예영의 집 앞을 배경으로,

          함께 집으로 들어가고 있는 두 사람.

          사진 하단, 날짜가 찍혀 있다. 8월 12일이다.

정(소리)   8월 12일... 박예영 사망 날.

철기   이거였군요.

          이장원 차장이 사건을 빨리 마무리 지으려 했던 이유가.

S#40   **민원봉사 사무실 (밤)**

정   사건 당일 마지막으로 피해자를 만난 사람.

          피해자 박예영을 살해했을 가능성이 제일 큰,

          현 시각 유력한 사건 용의자.

          근데 현직 중앙 지검 차장을 수사한다는 게,

          이게 사진 한 장 갖고 되는 게 아니거든.

	(유진철에게 이장원과 박예영 찍은 사진 보여 주고)
유진철	(사진 보는)
정	폭발력 있는 명분이 필요하단 말이지.
	이런 걸 찍어 놓은 당사자 증언 같은.
유진철	처음부터 이게 목표였어?
정	(종이와 펜 유진철에게 밀어 주는) 써.
	이장원이랑 박예영의 관계,
	사건 당시 니가 보고 들은 게 뭔지.
유진철	(보는)
정	택시랑 기회는 왔을 때 잡는 거야 유진철.
	각도기 잴 게 뭐 있어 나부터 살고 봐야지. 안 그래?

그때 벌컥 문 열리고,
안으로 들어오는 강 수사관과 수사관들.

강 수사관	진정 검사님? (서류 내미는) 압수 수색 영장입니다.
철기	(앞으로 나서려 하는데)
정	(철기 말리곤) … 혐의는 뭡니까.
강 수사관	특수 폭행.
	리치펀드 김형균 대표가 검사님을 고소했습니다.
정	(어이없고) 뭐요?

◀ **플래시백**

1화 9씬

리치펀드 김 대표에게 목검 휘두르는 정의 모습.

정	오도환입니까?
강 수사관	(보다가, 수사관들에게) 시작해.
박재경	(소리) 누구 맘대로 시작을 해?!

사람들 소리 난 쪽 보면,
사무실 문 쪽, 서 있는 박재경.

박재경	(안으로 들어와) 밤늦게 이 자식들이 여기가 어디라고.
	여기 내 구역인 거 몰라?!
정	(의외의 모습이다, 박재경 보는)
박재경	봉사실 일은 봉사실에서 끝낸다.
	여기 처음 만들 때 개정한 검찰 사무 규칙이야.
	사람도 마찬가지!
	뭔 잘못을 했던 여기 온 이상 내 새끼고!
	난 내 새끼 남한테 안 넘긴다. 꺼져.
정	(감동한) 실장님.
철기	(흐뭇한 미소) 믿고 있었습니다.
강 수사관	(어딘가 핸드폰 전화 거는, 속닥속닥, 잠시 있다가)
	예 알겠습니다.
	(끊고) 그런 사무 규칙 없답니다.
정	(엥?)
박재경	그래? 그럼 별수 없고.

자연스레 자기 자리로 돌아가
스포츠 토토 잡지 보는 박재경.

아니 뭐 저런...! 황당히 박재경 바라보는 정과 철기.
서류와 각종 물건을 박스 안에 집어넣기 시작하는 수사관들.
강 수사관은 테이블 위 사진을 챙기고.
그 모습 바라보던 정.
슬며시 책상 위 USB를 숨기려 하는데,
다가가 USB를 빼앗는 강 수사관.
픽 냉소하며 품에 넣는다.
그런 강 수사관을 바라볼 수밖에 없는 정.

S#41   **검찰청 밖 거리 (밤)**

검찰청 정문을 빠져나오는 유진철.
택시를 잡으려는 그때,

정   유진철.
           (다가와 유진철의 재킷 옷깃 정리해 주는)
           우린 꼭 다시 보게 될 거야.
유진철   (피식 웃는) 그러시던가.
정   (담담한) 정말이야. 난 잡는다면 잡아.
           수단 방법 안 가리거든.
유진철   (웃음기 사라지는, 서늘히 정 바라보고)
정   (그 시선 마주하는데)

택시가 멈춰 선다.
잠시 정 바라보다가 택시에 올라타는 유진철.

출발하는 택시 바라보는 정.

S#42 **이장원 차장검사실 (낮)**

중앙 지검장 취임 축하 난과 꽃다발이
산더미처럼 깔려 있는 차장검사실.
파쇄기에 사진을 집어넣는 이장원.
손에는 USB를 들고 있다.
한쪽엔 도환이 서 있고.

도환   (이장원이 소파에 앉으면, 자신도 소파에 앉는)
        신아라 검사가 유진철 대표 압수 수색을 진행했습니다.

이장원 신 검사가 움직였다는 건...

도환   김태호 부장이 움직였단 뜻입니다.

이장원 유진철은 중국으로 보내.
        김태호든 진정이든 다신 찾을 수 없게.

도환   예. (밖으로 나가고)

이장원 (USB 바라보다가, 이내 살벌한) 김태호 이 개새끼...!

S#43 **김태호 부장검사실 (낮)**

심각한 분위기 속,
소파에 앉아 있는 김태호와 아라.

김태호 진 검사가 유진철을 데려갔고,

오 검사가 유진철을 풀어 줬다...

아라   그리고 오 검사는

이장원 차장의 지시를 받고 있고요.

일전에 부장님 말씀이 맞는 거 같습니다.

현직 차장검사와 유흥업소 대표가 연결되어 있다는.

김태호   (심각한 얼굴로 고개 끄덕이곤)

진 검사는 왜 유진철을 잡은 걸까.

아라   개인적인 의견으론

단순히 유진철만 노리고 벌인 짓은 아닌 거 같습니다.

김태호   이장원 차장을 노리고 있다...

아라   진 검사는 아직 서초동 살인사건을

포기하지 않은 것 같습니다.

김태호   (흐뭇한 미소)

아라   오 검사를 시켜 사건을 빨리 마무리 지은 이장원 차장.

이는 곧 이 차장이 사건과 연관이 되어 있단

사실의 반증입니다.

말씀 끝나시는 대로 진 검사 만나보겠습니다.

아무래도 확실한 건 진 검사를 통해...

하는 그때, 벌컥 문 열고 안으로 들어오는 이장원.

김태호와 아라 일어서는데, 짝!

김태호의 뺨을 세차게 갈기는 이장원.

이장원   건방진 새끼가 어디 보고도 없이 표적수사를...

니가 차장이야?! 지검장이야?!

김태호	내일이 차장님 지검장 취임식입니다.
	조용히 수사 후에 보고 드리려 했습니다.
이장원	이 새끼가 뚫린 입이라고.
	(위협적으로 다가가) 사람 호구로 보는 것도 작작 해 새꺄.
	니가 유진철 들여다보는 이유 내가 모를 줄 알아?
김태호	(이장원 보는)
이장원	조금만 기다려.
	내가 지검장 되는 순간
	제일 먼저 너부터 쳐 버릴 테니까.
	(김태호 노려보다가 밖으로 나가는)
김태호	이런 꼴 보이면 안 되는데.
	(미소로) 못 본 척해 주라.
아라	(안타까이 김태호 바라보고)

S#44   검찰청 복도 (낮)

취조실 앞에 서 있는 강 수사관.
잠시 후 아라가 강 수사관에게 다가온다.

아라	(취조실 안으로 들어가려 하면)
강 수사관	(그 앞 막는) 죄송합니다 검사님.
	오 검사님께서 아무도 출입시키지 말란... (하는데)
아라	강 수사관님 눈엔
	제가 검사가 아니라 아무나인가 보네요?
강 수사관	(표정 곤란해지고)

| 아라 | 좋게 다시 말씀 드릴게요. (서늘한) 비켜. |

S#45   검찰청 취조실 (낮)

자리에 앉아 있는 정.
잠시 후 안으로 들어오는 누군가,
아라다.

아라	급하니까 바로 얘기할게. 이장원 차장, 같이 잡자.
정	(보는)
아라	나랑 부장님 돕겠다 약속해. 그럼 바로 풀어 줄게.
정	한 가지는 확실하게 하죠.
	지금부터 모든 일은 제 방식대로 한다는 거.
아라	(마음엔 안 들지만) 콜.

S#46   모텔 방 안, 검찰청 복도 교차 (낮)

푸시업을 하고 있는 유진철.
한쪽엔 옷가지들을 넣어놓은 스포츠 백이 놓여 있고.

| 유진철 | (핸드폰 진동 울리는, 받으면) |

걸음 옮기며 통화 중인 도환.

| 도환 | 출발하시죠. |

유진철	(떨떠름한 표정)
도환	그리고 잠깐 확인할 게 있습니다.
	티 내지는 마시고.

S#47 검찰청 복도 (낮)

취조실 앞 복도에 서 있는 강 수사관.
손목시계를 본다.
더 이상 안 되겠다 싶어 안으로 들어가려는데,
문득 복도 멀리,
갑자기 가슴을 부여잡고 쓰러지는 박 수사관.

박 수사관	아아아아악!
강 수사관	(힐끔 박 수사관 보는, 무시하고 문고리 잡는데)
박 수사관	(강 수사관 보며, 더 크게) 아아아아아악!!
강 수사관	(멈칫, 박 수사관 보면)
박 수사관	(제발 도와달라는 간절한 표정) 아아아아아아아아...!!

어쩔 수 없이 박 수사관에게 달려가는 강 수사관.
잠시 후 슬며시 열리는 취조실 문,
밖으로 나와 걸음 옮기는 정과 아라.

S#48 정의 차 안 (낮)

도로를 달리는 정의 차.

운전석엔 정, 조수석엔 아라가 앉아 있다.

아라 　　... 이제야 좀 이해가 되네.

　　　　　니가 갑자기 왜 유진철을 잡은 건지.

정 　　　고생해서 잡으면 뭐 합니까

　　　　　금방 또 이렇게 풀어 주는데.

　　　　　유진철이 노출된 이상

　　　　　이장원 차장도 가만 있지만은 않을 거예요.

아라 　　　사건을 은폐하려 들겠지.

　　　　　유진철을 바다 밖으로 보내려 할 거고.

정 　　　(고개 끄덕이고)

아라 　　　경찰 협조는 기대도 하지 마.

　　　　　내일이면 지검장 될 사람인데 누가 거역하겠어.

정 　　　오케이, 전화부터 합시다.

아라 　　　전화?

정 　　　시간 끌 거 없잖아요. 빨리 잡자고요.

아라 　　　걔가 어딨는진 어떻게 알고...

　　　　　(번뜩 든 생각에 정 보는) !!

정 　　　(의기양양 미소 짓고)

정(소리) 정말이야. 난 잡는다면 잡아. 수단 방법 안 가리거든.

S#49　　**회상, 검찰청 밖 거리 (밤)**

41씬 연결

택시가 멈춰 선다.

잠시 정 바라보다가 택시에 올라타는 유진철.
출발하는 택시 바라보는 정.
핸드폰으로 어딘가 전화를 건다.

정   ...따라 붙어.

거리 일각, 택시를 쫓아 출발하는 중도의 차.
운전석엔 중도, 조수석엔 은지가 앉아 있고.

S#50   **정의 차 안, 중도의 차 안 교차 (낮)**

아라   미행을 붙였다고? 너 이거 사찰... (하는데)
정   시작부터 답답한 소리 하시네.
           내 방식에 토 안 달겠다며.
아라   (기가 찬) 역시 너랑은... 결이 안 맞아.
정   결이야 바꾸면 그만이지. 앞만 보자고요 지금은.
           (핸드폰 전화 거는)

모텔과 조금 멀리 떨어진 곳,
멈춰 서 있는 중도의 차.
모텔을 주시하고 있는 은지.
그때 진동 울리는 핸드폰.

은지   (받는) 어 진검.
정   가고 있어. 잡아.

차 밖으로 튀어 나가는 은지와 중도.
모텔 향해 뛰어가고.

S#51   **모텔 복도 [낮]**

뒷주머니에서 휘리릭 랩터 가위를 꺼내는 은지.
은지 문 열라고 고갯짓하면,
중도 카드 키 대곤 문을 열어 준다.
빠르게 안으로 들어가는 은지.

S#52   **모텔 방 안 [낮]**

안으로 들어오는 은지와 중도.
하지만, 아무도 없다.
은지 멈칫 보면, 창문이 열려 있다.
다가가 창밖 보면,
지상까지 내려가 있는 완강기.

S#53   **모텔 앞 [낮]**

서 있는 중도와 은지.
잠시 후 근처에 멈춰 서는 정의 차.
차에서 내리는 정과 아라, 두 사람에게 다가간다.
왜 진검이랑 같이? 고깝게 아라 노려보는 은지.
중도는 헉! 한눈에 반한 듯 아라 바라보고.

정	이미 빠져나갔다고?
중도	(멍하니 아라만 바라보고)
정	여보세요? (중도의 앞에 손가락 탁탁 튕기는)
중도	어? 어, 어. 우리가 꼬리 잡은 거 눈치챈 거 같아.
	(타 버린 유진철 핸드폰 보여 주는)
	카운터 전자레인지에 있던 거.
	다른 건 없고.
정	갑자기 쓸데없이 철저해지셨네.
	꼭 누가 뒤에서 지시하는 거처럼.
아라	오도환이네.
	밖에 나갈 때까지 관리할 사람은 필요할 테니까.
정	(표정)
아라	근데, 누구야 이 사람들?
은지	(으르르 아라 노려보고)
중도	(느끼한 미소로 아라 보는)
아라	(뭐야 얘네? 두 사람 이상하게 보는데)
정	설명은 나중에. (핸드폰 꺼내며) 플랜B 갑시다.

핸드폰을 조작하는 정. 그 위로

안내(소리)	추적 대상이 경인고속도로로 진입하였습니다.

!! 사람들 정의 핸드폰 보면,
빨간 점이 점멸하며 이동 중인 화면...!
놀라 정 바라보는 아라.

핸드폰 바라보는 정의 표정에서.

S#54   **회상, 검찰청 밖 거리 (밤)**

41씬 연결
검찰청 정문을 빠져나오는 유진철.
택시를 잡으려는 그때,

정(소리)   유진철.
(다가와 유진철의 재킷 옷깃 정리해 주는)
우린 꼭 다시 보게 될 거야.

그 짧은 순간,
유진철의 재킷 옷깃에 위치 추적기를 집어넣는 정.

S#55   **모텔 앞 (낮)**

자신의 핸드폰을 보고 있는 정.
빨간 점이 점멸하며 이동하고 있는 모습 보이고.

정   경인고속도로면 인천 방면이에요.
아마 끝까지 가면...
아라   연안부두. 밀항이네.
정   (중도와 은지에게) 너희 둘은
최대한 빨리 핸드폰 포렌 돌려.

	뭐라도 나오면 바로 연락하고.
중도	(타 버린 핸드폰 드는) 다 타 버린 걸 어떻게?
정	두 장.
중도	세 장.
정	(가만히 중도 보면)
중도	맡겨 주십쇼.

차에 오르는 정과 아라.
출발하는 차 바라보는 중도와 은지.
각각의 표정에서.

S#56 부둣가 [밤]

낚싯배들이 정박해 있는 부둣가.
몸을 숨긴 채 낚싯배를 보고 있는 철기.
핸드폰 보면, 빨간 점이 멈춰 서 있다.
잠시 후 철기의 근처에 서는 정의 차.
차에서 내리는 정과 아라, 철기에게 다가가면,

철기	(낚싯배 가리키며) 저깁니다.

S#57 낚싯배 안 [밤]

낚싯배 안을 수색하는 정과 아라, 철기.
하지만 선장실, 화장실, 객실 곳곳을 살펴봐도

유진철은 보이지 않고...
이게 어떻게 된 일인가 당황스러운 세 사람.

S#58 **부둣가 (밤)**

당황스러운 얼굴로 서 있는 정과 아라, 철기.

아라   어떻게 된 거야? 왜 머리카락도 안 보여?
철기   장소는 분명 여기가 맞습니다.

정 핸드폰 보면,
여전히 움직이지 않고 점멸하고 있는 빨간 점.
당황스러운 표정의 정.
그때, 삐빅 소리를 내며
갑자기 움직이기 시작하는 빨간 점.
이건 또 뭔가 싶은 세 사람. 동시에 한 쪽 보면,
수산 트럭이 움직이고 있다.
다가가 수산 트럭을 멈춰 세우는 아라.
문을 열고 안을 뒤지기 시작한다.
잠시 후 밖으로 나와 정에게 들고 있는 것을 보여 준다.
작은 위치 추적기다.

아라   제발 플랜C도 있다 해 주라.
정   (굳어 버린 표정에서)

S#59   도환의 차 안 (밤)

고속도로 위를 달리고 있는 도환의 차.
운전석엔 도환. 그 옆엔 유진철이 앉아 있고.

S#60   회상, 모텔가 골목 (낮)

멈춰 서는 도환의 차.
운전석엔 도환, 조수석엔 유진철이 타 있다.
차 밖으로 나오는 도환.
손에는 위치 추적기를 들고 있다.
도환 주위 둘러보면, 서 있는 수산 트럭이 보인다.
'연안수산' 업체명이 부착되어 있는 트럭.
바라보는 도환 표정에서.

S#61   도환의 차 안 (밤)

도환   차장님께서 검사장 자리 앉으시면
바로 연락드리겠습니다.
그때까진 최대한 조용히... (하는데)

유진철   그러니까아,
내가 왜 밖에 나가야 되냐고 니들을 어떻게 믿고.

도환   (운전하고)

유진철   이 차장이랑 직접 얘기해야겠어. 차 돌려.
차 돌리라고 이 새꺄!

확 핸들을 틀어 갓길에 차를 세우는 도환.

끼익-!

대시보드에 부딪힐 뻔한 유진철,

도환 노려보는데,

확 유진철의 머리 붙잡아 대시보드에 누르는 도환.

도환   잘 들으세요 유진철 씨.

           이건 차장님을 위한 일이 아닙니다.

           유진철 씨를 위한 일이에요.

유진철   (도환 보는)

도환   차장님과 유진철 씨가 어떤 관계인진 전 관심 없습니다.

           대신 이거 하난 약속드리죠.

           만약 제가 차를 돌리게 되면,

           유진철 씨가 향하는 곳은 교도소가 될 겁니다.

유진철   ...!!

도환   유진철 씨가 지금 받고 있는 혐의.

           강도 높은 조사가 진행될 겁니다.

           압수와 체포 구속 또한 일사천리로 진행될 거고

           앞으로 평생 유진철 씨는,

           단 한 순간도 바깥공기를 맡지 못하게 될 겁니다.

유진철   (긴장하며 도환 보는)

도환   (유진철 풀어 주며) 말이 너무 길었네요. 출발하겠습니다.

다시 차를 출발시키는 도환.

그리고 저 멀리 보이는 건물, 공항이다.

S#62   부둣가 (밤)

무거운 분위기 속에 서 있는 정과 아라, 철기.

아라   분명 우리가 놓치고 있는 게 있어. 그게 뭘까.

정   모르겠어요.

    어디서 어떻게, 오도환이라면. (힘겹게 마른세수하는)

철기   경찰에 도움 요청하시는 건 어떠신지...?

정   (힘없이 웃는) 지명 수배?

아라   (문득 떠오른 생각에 멈칫) ...!!

정   이장원이 가만 놔둘까?

    수배 때리려면 영장부터 있어야 되는데.

아라   (읊조리는) 맞아... 지명 수배.

정   선배마저 왜 그래요. 이거 절대 영장 안 나와요.

아라   그러니까. 영장이 안 나오는데,

    그래서 수배 상태도 아닌데,

    왜 밀항을 하지?

정   (아라 보는)

아라   유진철은 밀항을 할 필요가 없어.

    걘 피의자가 아니니까.

    걔가 박예영 살인이랑 관련 있다는 건

    우리 말고 아무도 모르니까!

정   말처럼 밀항이 아니라면... (아라 보는) !!

아라   공항. 비행기.

정   티켓 예매. 유진철 핸드폰.

S#63   **중도의 가게 (밤)**

유진철의 타 버린 핸드폰을 포렌식 시도하고 있는 중도.
한쪽에선 은지가 카메라를 만지고 있다.
두 사람 위로

정(소리)   문자, 기록 아무거나 상관없어.
                공항이랑 관련된 걸 최우선으로 찾아.
은지   (차분한 표정으로 카메라 만지며) 빨리 해. 나 초조해.
중도   (키보드 두드리며) 있어 봐 심폐 소생 열나게 하고 있으니까.
은지   (안 분리되나? 카메라에 부착된 렌즈 힘으로 당겨보는데)
중도   됐다!
은지   (움찔 놀라 렌즈 뽀각 부러뜨리는) ...!!

S#64   **정의 차 안 (밤)**

빠른 속도로 도로를 달리는 정의 차.
운전석엔 정, 조수석엔 아라가 앉아 있다.
초조한 얼굴로 이리저리 차들을 추월해 나가는 정. 그 위로

중도(소리)   10시 상하이!

S#65   **공항 탑승 라운지 (밤)**

벤치에 앉아 있는 유진철.

손목시계 확인하면, 9시 40분이다.
탑승구를 향해 걸음 옮기는 유진철.

S#66   **정의 차 안, 공항 보안실 교차 (밤)**

운전하며 스피커폰으로 통화 중인 정.

정   상하이행 10시 비행기입니다.
           탑승 명단 확인하고 유진철 신병 확보하세요.

           반대쪽 급박한 분위기와는 정반대로,
           귀찮다는 듯 귀 후비며 통화 중인 보안팀장.

정(소리)   살인사건 핵심 참고인입니다.
팀장   그렇게 말씀하셔도 우리가 막을 권한이 없어요.
           막말로 그 사람이 출금 걸린 것도 아니잖아.
정   (미치겠고)
아라   보안팀장님? 중앙 지검 신아라 검사입니다.
           저희가 사정이 있어 그러는데
           이번 한 번만 어떻게 안 될까요?
팀장   (어쩔 수 없다는 듯) 정 그럼 영장이라도 팩스 보내 봐요.
아라   (난감하고)
팀장   것도 못 보내요?
           (짜증) 바쁘니까 끊습니다. (끊는)
아라   여보세요? 보안팀장님? 야!!

정 시계 보면, 9시 50분이다.
초조함에 아무 말도 하지 못하는 정과 아라.

S#67   비행기 안 (밤)

이륙 준비를 하는 승무원들.
안전벨트 착용 표시등에 불이 들어온다.
자리에 앉아 있는 유진철. 안전벨트를 차고.

S#68   공항 앞 (밤)

끼익 급하게 멈춰 서는 정의 차와 철기의 차.
차에서 내려 안으로 뛰어 들어가는 정과 아라, 철기.

S#69   공항 출국장 (밤)

급하게 뛰어 들어오는 정과 아라, 철기.
국제선 출발 안내 전광판을 보는 정.
멈칫 표정 얼어붙는다.
상하이행 비행기, '이륙' 표시가 떠 있다...!

S#70   비행기 안 (밤)

활주로 위에서 움직이고 있는 비행기.
창밖 바라보며 앉아 있는 유진철.

S#71   **공항 출국장 (밤)**

허탈한 얼굴로 서 있는 정과 아라, 철기.

아라   돌아가자.

정   (전광판 바라보는, 쉽사리 발걸음 떼지 못하고)

아라   다 끝났어.

           택시도 아니고 비행기를 어떻게 세울 건데.

정   (낙담한 채 고개 숙이는)

아라   (자신도 안타까운) 비행기 떠났어.

           여기까지야. (씁쓸히 돌아서는데)

정   …아직 방법 있습니다.

아라   (멈칫, 정 보는)

정   까짓거, 미친 짓 한번 해 보자.

S#72   **공항 안내데스크 (밤)**

전화기가 울린다. 전화를 받는 안내.

안내   민원 안내실입니다. 무엇을 도와드릴까요?

정(소리)   폭탄을 설치했다.

안내   예? 다시 한번 말씀해 주시겠어요?

           (옆에 안내에게 다급히 손짓하고)

정(소리)   방금 출발한 10시 상하이행 비행기.

           그 안에 폭탄이 들어 있어.

안내   !!

S#73   **공항 일각 (밤)**

          핸드폰 통화 중인 정.
          그런 정을 입 떡 벌어져 바라보는 아라와 철기.

정   당장 비행기 멈춰 세워.
          안 그럼 공항에 피바다가 불 것이야. (끊는)
아라   (말도 잘 안 나오는) 야... 너 지금... 너 지금 무슨 짓을...
정   (자기도 미치겠고) 뭘 물어 봐요 나도 몰라 이제. 갑시다!

          성큼성큼 걸음 옮기는 정.
          그런 정을 멍하니 바라보는 아라와 철기.

S#74   **몽타주**

          / 비행기 안 (밤)
          활주로에서 멈춰 서는 비행기.
          무슨 일인가 싶은 유진철.

          / 공항 (밤)
          공항 내 안내 전광판,
          모든 비행기 편에 다다다 **'탑승 대기'** 표시가 뜬다.
          다급히 안으로 달려들어오는 경찰 특공대,

소방 특수 구조대, 폭발물 처리반.

/ 공항-2 (밤)

항공사 카운터,
수하물 위탁소 등 곳곳을 가리지 않고
좌악 쳐지는 출입 금지 라인.
직원들 일제히 자리를 빠져나가고.

/ 공항 출국장 (밤)

사람들 통제하며 경계 태세 갖추는 경찰들.
"위험합니다!" "물러서세요!"
눈 앞에 펼쳐진 이 상황이 현실인가 꿈인가
넋 나간 듯 서 있는 아라와 철기.

/ 비행기 안 (밤)

멈춰 선 비행기.
무슨 일인가 웅성대는 탑승객들.
곧이어 중무장한 경찰 특공대와
폭발물 처리반이 안으로 들어온다.

처리반   잠시 여객기 내부 수색이 있겠습니다.
　　　　　 승객 여러분들은 저희 지시에 따라
　　　　　 침착하게 대피해 주시기 바랍니다.

유진철   !!

S#75   **공항 출국장 (밤)**

"폭탄이 설치됐대."
"어머 어떤 미친놈이? 장난 전화 아냐?"
"아냐 진짠가 봐."
몰려 있는 사람들 사이,
사람들 눈치 보며 가만히 서 있는 아라와 철기.
한쪽에선 정이 출국 게이트 바라보며 서 있고.

아라   그러니까 여기로 다시 나온다는 거죠?
         비행기 탄 승객들이.
철기   폭탄 수색할 시간이 필요하니까요.
         이제 곧 나올 겁니다.
아라   (힐끔 정 보면)
정   (결연히 게이트 바라보며 서 있고)
아라   와 저 표정 봐.
         지가 뭔 사고를 쳤는진 완전히 까먹었네.
철기   생각해 두신 게 있을 겁니다. ...아마도요.
아라   제발 그랬으면 좋겠네요.
         안 그럼 우리 다 세트로 뭐 될 테니까.
철기   !!

그때 열리는 출국 게이트.
탑승객들이 밖으로 나오기 시작한다.
탑승객들을 살펴보는 정과 아라, 철기.

문득 정과 유진철의 눈이 마주친다.
대열을 이탈해 달아나기 시작하는 유진철.

정   !! (쫓아 달려가고)

S#76   **공항 통로 (밤)**

도망치는 유진철.
힐끔 뒤돌아보면,
빠른 속도로 따라붙고 있는 정이 보인다.
안 되겠다 싶은 유진철.
무빙워크에 올라타 빠르게 달려 나간다.
자신도 따라 무빙워크에 타려 하는 정.
그때 갑자기
몰려든 사람들이 먼저 무빙워크에 올라탄다.
어쩔 수 없이 죽어라 유진철을 쫓아 달려가는 정.
하지만 둘 사이는 점점 멀어지기 시작하고.

S#77   **공항 2층 (밤)**

헉헉대며 주위를 둘러보는 정.
어디에도 유진철은 안 보인다.
문득 1층을 보면,
여유롭게 정을 보며 서 있는 유진철.
미소로 정에게 손까지 흔들고.

정 이를 악물고 주위 보면, 계단은 너무 멀리 있다.
결심한 듯 난간을 붙잡는 정.
훌쩍 난간을 뛰어넘어 유진철에게 떨어진다...!
픽!
동시에 쓰러지는 정과 유진철.
간신히 정신을 차리고 일어나 도망치는 유진철.
정 어렵게 일어서려 하지만,
통증 때문에 일어서기가 쉽지 않고.

S#78   **공항 입국장 (밤)**

걸음 옮기는 유진철.
문득 저기 아라가 다가오고 있는 게 보인다.
아라가 목에 걸고 있는 검찰 신분증을 발견한 유진철.
아라 역시 유진철을 발견하곤 걸음 옮기기 시작한다.
유진철 뒤돌아보면,
철기가 자신을 향해 다가오고 있다.
당황스러운 그때,
마침 유진철의 옆을 지나가는 아이돌 소녀 팬들.
(아이돌 응원 피켓과 굿즈 등 들고 있는)
소녀 팬 중 한 명을 붙잡는 유진철.
그녀가 들고 있던 볼펜 빼앗아 확 목에 겨누고...!

유진철   (위협적으로) 비켜! 비켜!
            안 그럼 이년 목구멍 쑤셔 버릴 거야!

유진철을 노려보는 아라.
문득 유진철 뒤편에 서 있는 사람들 사이,
숨어 있는 정이 보인다.

아라   유진철!
        (유진철 아라 보면) 의미 없는 저항 그만해. 다 끝났어.
정   (점점 유진철에게 가까이 다가가고)
유진철   헛소리 지껄이지 마.
        (사람들 향해) 오지 마, 오지 마!
아라   너 자꾸 이럼 큰일 나.
        니 뒤에 친구가 화가 많이 났거든.

유진철 뒤돌아보는 그때,
번개 같이 달려들어 유진철을 덮치는 정!
바닥에 뒹구는 정과 유진철.

유진철   (일어서는, 서늘히 정 노려보면)
정   (몸 풀어 주며) 그냥 잡히긴 그렇지?
        딱 한따까리만 하자.

대치 상태로 서로를 노려보는 정과 유진철.
그러다 어느 순간,
유진철 빠르게 정에게 달려든다.
만만치 않은 유진철의 움직임.
진지하게 맞받는 정.

서로 한 대씩 주고받곤 물러서는 두 사람.
오오오...
핸드폰으로 두 사람 찍으며 감탄하는
소녀 팬들과 구경꾼들.
아라와 철기마저도 박수 치며 감탄하고.
다시 정에게 달려드는 유진철.
격하게 맞붙는 두 사람.
그 모습 숨죽인 채 바라보는 사람들.
서로 간 몇 번의 격한 주먹이 오고 간 끝,
결국 바닥에 쓰러지고 마는 유진철.
결판이 났다. 와아아 터지는 함성과 박수 소리.
싱긋 미소 짓는 정.
그때 정에게 다가오는 보안들.

보안	핸드폰 뒷자리 2765. 본인 명의 맞으시죠.
정	(올 것이 왔다 싶은) 타이밍 너무 칼 같으시다.
보안	같이 좀 가 주셔야겠습니다. 이쪽으로.

보안들에게 붙잡혀 가는 정.
난감하게 그 모습 바라보는 아라와 철기.

S#79 이장원 차장검사실 (밤)

창밖을 바라보며 서 있는 이장원.
그 뒤엔 도환이 서 있고.

이장원	... 진 검사는?
도환	송환대기실에 구금 중입니다.
이장원	(피식) 미친놈. 검사라는 새끼가 어떻게...
	(고개 절레절레)
도환	유진철은 빠른 시일 내 신병 확보하겠습니다.
이장원	그렇게 하도록 해.
	(도환 보는) 내일 취임식은 차질 없이 준비하고.
도환	알겠습니다.
	축하드립니다. 지검장님. (꾸벅 인사 후 나가는)

책상 위 축하 난 향해 걸음 옮기는 이장원.
리본 보면, **'영전을 축하드립니다.'**
흐뭇한 미소로 리본을 쓰다듬는 이장원의 모습에서.

S#80   **검찰청 대강당 (낮)**

단상 위 보이는 플래카드.
'제63대 이장원 서울 중앙 지방 검찰청 검사장 취임식.'
자리에 앉아 있는 검사들과 간부들, 김태호.
분주히 카메라를 세팅하는 카메라맨들.
자리에 앉아 기사 준비하는 기자들의 모습.

S#81   **검찰청 대강당 앞 복도 (낮)**

복도 양쪽으로 도열해 있는 검사들.

검사들의 축하 인사 받으며
당당히 걸음 옮기는 이장원.
그 뒤를 따르는 도환.

S#82   **검찰청 대강당 (낮)**

대강당 자리를 가득 메운
김태호와 검사들, 간부들의 모습.
단상 한쪽엔 사회자(30대 여)가 사회를 보며 서 있고.

사회자   ... 이어서 제63대 서울 중앙 지방 검찰청 검사장,
이장원 지검장님의 취임사가 있겠습니다.
힘찬 박수 부탁드립니다.

카메라 플래시와 박수 세례를 받으며
연단으로 걸음 옮기는 이장원.
도환은 대강당 입구 근처에 서 있고.

이장원   (잠시 좌중을 바라보다가) 존경하는 검찰 가족 여러분.
저는 오늘, 정의 수호의 산실인
서울 중앙 지검의 검사장을 맡게 되었습니다.

그때
연단 아래 공간에서 튀어나오는 누군가의 손.
이장원의 다리를 향해 다가간다.

이장원	여기 계신 가족분들께 약속드리겠습니다.
	앞으로 저희 검찰은,
	국민들에게 신뢰 받는 검찰,
	권력에 굴하지 않고 권력에 칼을 뽑는 검찰,
	정직하고 강직한 검찰이...
정	(힘껏 이장원의 허벅지를 꼬집고!)
이장원	될 것임으아아아악!!
도환	...!!
기자들	?!!
이장원	뭐야?! 이거 밑에 뭐야?!

말이 끝나기 무섭게 쑥 튀어나오는 누군가.
정이다! (옷 바꿔 입은)
갑작스러운 정의 등장에
헉 놀라는 기자들! 검사들!

정	(스트레칭하는) 아우...
	계속 숨어 있었더니 삭신이 다 쑤시네.
이장원	(놀라서 아무 말도 안 나오고)
정	비켜 봐요. (이장원 밀어내고 마이크 차지하는)
	아아, 첵, 첵.
이장원	(검사들에게 호위받으며 뒤로 물러서는)
도환	(당황스레 정 바라보고)
정	안녕하십니까 기자님들 검사님들.
	진정입니다.

김태호	(옅게 미소 짓고)
정	에... 제가 여기 선 건 다름이 아니라,
	우리 검찰이... 여러분들 생각보다 훨씬 더
	썩어 **빠진** 조직이란 걸 말씀 드리기 위해서입니다.

충격적인 정의 발언에
아무 말도 하지 못하는 검사들과 이장원.
기자들은 보드 두드리고 전화하고
카메라 플래시 터뜨리고.

정	얼마 전 있었던 서초동 살인사건.
	여러분들 모두 기억하실 겁니다.
	단언하고 말씀 드리겠습니다.
	교도소에 갇혀있는 김효준, 걔 범인 아닙니다.
이장원	!!
도환	(작게 한숨 내쉬는, 단상 향해 걸음 옮기고)
정	무죄의 증거를 없애고 사건을 조작하고
	지들 맘대로 마무리 짓고.
	이거 다른 데서 한 거 아닙니다.
	바로 여기, 국가 최고의 법 집행기관이라는
	저희 검찰이 저지른 짓입니다.

경악으로 얼어붙는 기자들과 검사들...!
쏟아지는 카메라 플래시 사이,
단호하고 결연한 얼굴로 서 있는 정!

기자1	다른 용의자가 있다는 말씀이십니까?
기자2	용의자는 특정하셨습니까?
정	예 특정했습니다. 사건의 용의자는 지금 여기...
	(하는데)
도환	(끼어들어 마이크 손으로 가리는, 서늘한)
	적당히 해. 보기 안 좋다.
정	그냥 가만히 있지? 확 다 까 버리기 전에.
도환	(보는)
정	넌 나중이야. 찌그러져 있어.
도환	(정 노려보다가, 어쩔 수 없이 물러나는)
정	죄송합니다 다시 하겠습니다.
	(기자2에게) 방금 질문이...?
기자2	용의자는 특정하셨는지...
정	물론 당연히 했죠오.
	자 여러분 잘 보세요.

저벅저벅 이장원에게 걸음 옮기는 정.
그런 정을 죽일 듯 노려보는 이장원.

이장원	너 이 새끼... 지금 뭐 하는 짓거리야.
정	알려드릴게. 뭐 하는 짓거리인지.
	이장원 씨.
	당신을 서초동 살인사건의 유력 용의자로
	긴급 체포합니다.
이장원	...!!

정   축하해. 당신 이제 끝났어.

        자신만만하게 웃음 짓는 정의 모습에서...!!

- 2화 끝 -

episode ③

● ● ●

'서초동 살인사건'의 진범으로 이장
원 차장검사를 지목하는 정. 사건의
진실을 밝히기 위해 노력하는 정과
그를 막아서는 이장원.
그러던 중 사건은 정이 전혀 예상치
못한 방향으로 흘러가며 진 검사를
충격에 빠뜨리는데...

S#1   **공항 사무실 복도 (밤)**

굳은 얼굴로 복도를 걷고 있는 아라와 철기.
저 앞, 보안들이 지키고 서 있는
송환 대기실 출입문이 보이고.

S#2   **공항 송환 대기실 (밤)**

안으로 들어오는 아라와 철기.
아라 주위 둘러보면, 한쪽 구석,
난민들과 고스톱을 치고 있는 정.
허! 기가 차 그 모습 바라보는 아라.

정   (짝! 화투 치며, 신난) 그렇치이 붙어 줘야지이.
        자 계산 들어갑니다 흔들고 쓰리고에

(난민1 가리키며) 캉테 피박,
(난민2 가리키며) 에투 광박.
점 10에 3, 4, 5, 6, 7, 8...

죽을 맞인 캉테랑 에투.
그때, 확 담요를 뒤엎는 아라.

아라   캉테랑 에투, 니들은 나가.
캉테   (일어서 아라에게) 고마워 누나.
에투   (일어서 아라에게) 사랑해 누나.

자리를 피해 주는 캉테랑 에투.
서늘히 정을 바라보는 아라.
그런 아라의 시선 슬며시 피하는 정.

(경과)
나란히 앉아 있는 정과 아라.
한쪽엔 철기가 서 있고.

정   유진철은요?
아라   말한 곳에 잘 갖다 놨어.

+   인서트
         지하 밀실. 입에 재갈이 물린 유진철.
         의자에 묶인 채 버둥대고.

아라	(탄식하는) 세상에 내가 미쳤지 미쳤어.
	어쩌자고 이런 놈이랑 손을 잡아 가지고.
정	(미소 짓고)
아라	그래 뭐, 백번 양보해서 유진철 잡았으니까 됐다 치고,
	넌 어쩔 거야?
정	내일이 취임식이잖아요. 나가야죠 어떻게든.
아라	그러니까 어떻게.
	너 여기서 바로 인천 지검 직행이야.
	니가 어떻게 무슨 수로.
정	(여유로운) 또 왜 이러실까 우리 선배,
	다 방법 있습니다.
	(철기에게) 부탁한 건?
철기	준비됐습니다.

하며 정에게 귓속말하는 철기.
의미심장한 표정으로 고개 끄덕이는 정.
뭘 또 꾸미는 거야?
정 바라보는 아라의 표정에서.

S#3   **검찰청 대강당 (낮)**

단상에 의자를 놓고 마이크 점검하는 등
행사 준비를 위해 분주히 움직이는 직원들.
그들 위로 보이는 플래카드.
'제63대 이장원 서울 중앙 지방 검찰청 검사장 취임식.'

S#4	**공항 (낮)**

수갑을 찬 채 보안1, 2 사이에서 걸음 옮기는 정.

정	(우뚝 걸음 멈추는) 잠깐 화장실 좀 씁시다.
보안1	나중에 쓰시죠? 인천 지검까지 금방인데.
정	내가 웬만하면 참으려 했는데 이건 진짜 급해서 그래.
	이러다 터지면 대참사야 나나 그쪽이나.

S#5	**공항 화장실 (낮)**

안으로 들어오는 정.
끝자리 마지막 변기 칸을 바라본다.
그 위로

철기(소리)	마지막 칸 천장입니다.

마지막 변기 칸으로 들어가는 정.
천장을 열면, 스포츠 백이 들어있다.
정 스포츠 백 열어 보면, 모자와 옷, 노끈, 수갑 열쇠.
그리고 녹음기.
녹음기에 목소리를 녹음시키는 정.

정	아직 있어요.
	(잠깐 있다가, 짜증) 아이 좀 기다리라니까.

열쇠로 수갑을 푸는 정.
첫 번째 변기 칸으로 들어간다.
문고리에 노끈을 묶곤 칸 밖으로 나간다.
노끈 옆으로 당기면, 딸깍 잠기는 문.
노끈 칸 안으로 던져 놓곤 원래 있던
마지막 변기 칸으로 돌아가는 정.

S#6   **공항 화장실 앞 (낮)**

화장실 밖에 서 있는 보안1, 2.

보안1   왜 이렇게 안 나와?

S#7   **공항 화장실 (낮)**

안으로 들어오는 보안들.
첫 번째 칸 문고리에 **'사용 중'** 글자를 보곤,

보안1   (변기 칸 노크) 저기요, 시간 꽤 지났는데 나오시죠?
정(소리)   (녹음기 목소리) 아직 있어요.
보안2   너무 오래 걸리는 거 아닙니까?
정(소리)   (녹음기 목소리) 아이 좀 기다리라니까.

그 사이 마지막 변기 칸에서 나오는 한 사람,
모자 푹 눌러쓰고 옷을 갈아입은 정이다.

자연스럽게 보안들 뒤를 지나쳐 걸음 옮기는 정.
씨익 웃음 짓고.

S#8 **정의 차 안 (낮)**

도로를 달리는 정의 차. 운전석에 정.
시계 보면, 10시 30분이다.
꾸욱 엑셀을 밟는 정.
거세게 속력을 높이는 정의 차.

S#9 **검찰청 대강당 앞 복도 (낮)**

결연한 얼굴로 대강당 문을 향해 걸음 옮기는 정.

S#10 **검찰청 대강당 (낮)**

정   (쾅 문 박차고 들어오며) 취임식은 개뿔! 일동 주목!

멈칫 보면, 썰렁하니 텅 비어 있는 대강당.
이게 뭔가 싶은 정.

정   (지나가는 직원에게) 잠시만요. 여기 오늘 취임식...
직원   아 말씀 못 들으셨구나. 한 시간 연기됐습니다.
정   !! 예?

(경과)

넓디넓은 대강당 안,

외로이 홀로 서 있는 정.

정   너무 빨리 왔네...

이걸 뭐 어떻게 해야 하나 난감한데,

문득 눈에 띄는 단상 위 연단.

가만히 연단 바라보다가,

문득 떠오른 생각에 씨익 사악하게 미소 짓는 정.

그 위로 들리는 박수 소리.

S#11   **검찰청 대강당 (낮)**

2화 82씬 연결

이장원   여기 계신 가족분들께 약속드리겠습니다.

앞으로 저희 검찰은,

국민들에게 신뢰 받는 검찰,

권력에 굴하지 않고 권력에 칼을 뽑는 검찰,

정직하고 강직한 검찰이...

정   (힘껏 이장원의 허벅지를 꼬집고!)

이장원   될 것임으아아아악!!

도환   ...!!

기자들   ?!!

이장원	뭐야?! 이거 밑에 뭐야?!

말이 끝나기 무섭게 쑥 튀어나오는 누군가.
정이다! (옷 바꿔 입은)
갑작스러운 정의 등장에 헉 놀라는 기자들! 검사들!

정	(스트레칭하는) 아우...
	계속 숨어 있었더니 삭신이 다 쑤시네.
이장원	(놀라서 아무 말도 안 나오고)
정	비켜 봐요. (이장원 밀어내고 마이크 차지하는)
	아아, 첵, 첵.
이장원	(검사들에게 호위받으며 뒤로 물러서는)
도환	(당황스레 정 바라보고)
정	안녕하십니까 기자님들 검사님들.
	진정입니다.

S#12　　**민원봉사 사무실 (낮)**

TV 속 정을 보곤 푸흡 먹던 라면 뿜어 버리는 박재경.

S#13　　**검찰청 대강당 (낮)**

2화 82씬 연결

정	무죄의 증거를 없애고 사건을 조작하고
	지들 맘대로 마무리 짓고.

이거 다른 데서 한 거 아닙니다.
바로 여기, 국가 최고의 법 집행기관이라는
저희 검찰이 저지른 짓입니다.

경악으로 얼어붙는 기자들과 검사들...!
쏟아지는 카메라 플래시 사이,
단호하고 결연한 얼굴로 서 있는 정!

S#14   **철기의 차 안 [낮]**

도로를 달리는 철기의 차.
운전석엔 철기, 조수석엔 아라가 앉아 있다.

아라   (힐끔 백미러로 뒷좌석 보면, 재킷을 덮고 있는 누군가 앉아 있고)
기자2(소리)   용의자는 특정하셨는지...
정(소리)   물론 당연히 했죠. 자 여러분 잘 보세요.

S#15   **검찰청 대강당 [낮]**

            2화 82씬 연결
            저벅저벅 이장원에게 걸음 옮기는 정.
            그런 정을 죽일 듯 노려보는 이장원.

이장원   너 이 새끼... 지금 뭐 하는 짓거리야.
정   알려드릴게. 뭐 하는 짓거리인지.

이장원 씨.

당신을 서초동 살인사건의 유력 용의자로

긴급 체포합니다.

이장원   …!!

정   축하해. 당신 이제 끝났어.

자신만만하게 웃음 짓는 정.

정적이 흐른다.

할 말을 잃은 채

멍하니 정만 바라보는 기자들과 검사들.

기자2   (슬며시 손드는)

정   (기자 보면)

기자2   방금 이장원 차장이

서초동 살인사건의 용의자라 하셨는데,

주장을 뒷받침할 근거가 있는지…

정   예 지금 오고 있습니다. 사건의 핵심 참고인!

이장원   !!

도환   (몸 돌려 핸드폰 전화 거는, 급한) 유진철이 올 겁니다.

막으세요.

S#16   **검찰청 앞 (낮)**

끼익 멈춰 서는 철기의 차. 차에서 내리는 철기와 아라.

그때 그들 앞에 서는 강 수사관과 수사관들.

강 수사관 힐끔 뒷좌석 보면,
누군가 타고 있는 게 보인다.

강 수사관 　잠시 차량 뒷좌석 좀 확인하겠습니다.
아라 　　　이봐요 대체 무슨 권리로...! (하는데)
강 수사관 　(뒷좌석 문 확 여는 데서)

S#17 　　**검찰청 대강당 (낮)**

적막이 맴도는 대강당.
슬슬 민망해지기 시작하는 정.

기자3 　　말씀하신 핵심 참고인은 언제...?
정 　　　(초조한 얼굴로 대강당 입구 바라보는데)
이장원 　　(앞으로 나서며, 여유로운) 이쯤 하면 됐어 진 검사.
　　　　　(정에게 귓속말로) 유진철은 안 와.
정 　　　(이장원 노려보고)

웃으며 양복들에게 손짓하는 이장원.
다가와 정의 팔을 붙잡는 양복들.
확 그들을 뿌리치곤 단상 밖 향해 걸음 옮기는 정.
"왜 저래?" "참고인 안 와?" "거짓말이었어?"
정을 보며 웅성대는 사람들.
걸음 옮기는 정을 보며 피식 웃음 짓는 도환.
그때 울리는 핸드폰 진동.

도환   (받으면)

강 수사관(소리) 유진철이 아닙니다.

도환   !!

S#18   **검찰청 앞 (낮)**

            철기의 차 옆에 서서 통화 중인 강 수사관.
            강 수사관 뒷좌석 보면, 재킷을 덮고 있는 누군가,
            중도다...!

S#19   **검찰청 대강당, 지하 밀실 교차 (낮)**

            당황스레 핸드폰 내리는 도환.
            그때! 갑자기 탁 꺼지는 대강당 조명.
            순식간에 찾아온 어둠.
            곧이어 대강당 벽면에 뜨는 영사기 영상.
            지하 밀실 안, 의자에 앉아 있는 유진철이다...!
            표정 얼어붙는 도환과 이장원.
            그런 두 사람 보며 웃음 짓는 정!

유진철   (긴장한) 어... 여보세요?

            !! 경악하는 기자들과 검사들.
            넋 나간 얼굴의 이장원.
            한 발 앞으로 나서는데,

정   (그 앞 가로막으며) 매너가 후지네.

아직 시작도 안 했는데.

(영상 속 유진철에게) 어 진철아 나야. 잘 들려?

지하 밀실,

다소곳한 자세로 의자에 앉아 있는 유진철.

그 앞, 삼각대 위에 놓인 캠코더,

라이브 영상을 찍고 있는 중이다.

앵글 안 보이는 곳에선 은지가

랩터 가위로 유진철 위협하고 있고.

유진철   예 검사님! 잘 들립니다!

정   여기 있는 사람들이 내 말을 못 믿는다,

니가 대신 말 좀 해 주라!

유진철   (크흠 헛기침하곤) 유진철입니다.

진정 검사님이 하신 말씀은... 전부 사실입니다.

이장원   !!

유진철   서초동 사건의 피해자 이름은 박예영.

제가 운영하는 유흥업소의 여직원이었으며,

이장원 차장과는 스폰 관계였습니다.

헉 얼어붙는 기자들과 검사들, 이장원!

앉아 있던 김태호는 옅게 미소 짓고.

정 대강당 콘솔 룸 보면,

유리 창문 너머 서 있는 아라,

정에게 엄지척!

싱긋 웃으며 아라를 바라보는 정.

유진철   사건 당일 두 사람이 함께 있었던 거 또한

제가 목격했습니다.

자세한 내용은 검찰 조사에서 성실히 답변하겠습니다.

정   오케이 컷!

영상이 꺼진다.

다시 조명 켜지며 환해지는 검찰청 대강당.

정   영상의 참고인은 제가 보관,

아니 보호하고 있는 중입니다.

없어지길 바라는 사람이 너무 많아서.

도환   (정 노려보고)

정   (도환에게 다가가) 내가 말이야 오도환.

너한테 당하고 결심한 게 있어.

다시는 지는 싸움 안 하겠다.

도환   (보는)

정   너랑 난 이제 시작이야. 잘해 보자.

미소로 도환을 바라보는 정.

그런 정을 노려보는 도환.

두 사람의 모습에서.

진검승부

S#19-1   **추가 씬, 검찰청 앞 (낮)**

각각 카메라맨들 앞에서
취임식 상황을 리포팅하고 있는 기자들.

기자1   서울 중앙 지방 검찰청 검사장 취임식에서
충격적인 장면이 펼쳐졌습니다.

기자2   지검장 취임 예정이었던 이장원 차장검사가
서초동 살인사건의 유력 용의자로 지목이 되었습니다.

기자3   취임식장에 난입해 벌인 진정 검사의 대국민 폭로.
헌정 역사상 유례없는 사태로
지검장 취임식은 파행된 상태며,

기자4   이로 인해 서울 중앙 지검장 자리는
당분간 공석을 피할 수 없을 것으로 보입니다.
한편 법무부 감찰위원회는 진정 검사의 발언과
이 차장검사 관련 의혹을 주제로 한
긴급회의를 소집하겠다...

S#20   **이장원 차장검사실 (낮)**

책상 위 전화기로 통화 중인 이장원.
그 앞엔 도환이 서 있고.

이장원	최 기자, 정말 이럴 거야?
	그놈이 공항에서 무슨 짓했는지 최 기자도 들었잖아.
도환	(이장원 보고)
이장원	우리 쪽에서도 반박 성명 낼 거야.
	그러니까 그때까진... 여보세요,
	여보세요! (끊겼다, 거칠게 수화기 내려놓곤, 도환에게)
	넌 새꺄 뭐 하고 있었어!
도환	죄송합니다.
이장원	죄송? 일 처리 하나 제대로 못해
	이딴 사단을 만들어 놓고 죄송?
	(일어서는) 야 오도환이.
	(쿡쿡 손가락으로 도환 찌르는) 정신 똑바로 차려 새끼야.
	너 같은 놈들이 착각하는 게 뭔지 알아?
	줄만 꽉 잡고 있으면 된다 생각을 해.
	정작 지는 아무 노력도 안 하면서!
도환	(보는)
이장원	명심해 오 검사. 줄은 의외로 쉽게 끊어져.
	줄은 올려 달라고 있는 게 아니야.
	올라가라고 있는 거야.
도환	...정말 아니십니까?
이장원	뭐?
도환	진 검사의 주장 내용 말입니다.
	차장님이 서초동 살인사건,
	피해자 박예영을 살해한 유력한 용의자라는.
이장원	(노려보는)

도환	사안이 심각합니다.
	제가 차장님을 도울 수 있게 말씀 부탁드립니다.
이장원	(보다가, 도환의 의도 다 안다는 듯 피식 웃는) 진 검사부터.
도환	(보는)
이장원	사태 수습하고 진 검사 처리해.
	진실은 그다음이야.
도환	(보다가) 알겠습니다. (밖으로 나가는)

의자에 앉는 이장원.

문득 눈에 띄는 책상 위 축하 난.

'영전을 축하드립니다.'

중앙 지검장 취임 축하 리본 바라보다가,

확 난을 들어 벽에 던지는 이장원.

쨍그랑~! 벽에 부딪혀 산산조각 나는 난.

분노로 이 악무는 이장원의 모습에서.

S#21 **검찰청 취조실 (낮)**

자리에 앉아 있는 정.

잠시 후 안으로 들어오는 도환, 정의 맞은편에 앉는다.

도환 모니터실 향해 고개 끄덕이면,

천장 CCTV 카메라 불빛 꺼지고.

도환	지금이라도 모든 게 거짓이었다 말해.
	그럼 검사직은 유지할 수 있게 해 주지.

정	싫다면?
도환	항공법 위반. 삼 년 이상은 살게 될 거야.
	이 자리가 너한테 마지막 기회란 거
	알았으면 좋겠다 진 검사.
정	(바라보고)
도환	참고로 말하자면
	어차피 너 아니어도 상황 수습은 가능해.
	다만 니가 협조해 주는 게 제일 쉽고 빠른 방법일 뿐...
	(하는데)
정	예전부터 궁금했던 건데. 안 부끄럽냐?
도환	(보는)
정	이렇게까지 니가 그 사람한테 충성해서 얻는 게 뭐냐고.
	올라가는 거? 위에 가면 뭐 있어?
도환	(바라보고)
정	그러지 마세요 오도환 검사님.
	올라갈수록 떨어지면 더 아파.
도환	(잠시 정 보다가, 테이블 위 인터컴 누르는)
	진 검사 구속하세요.
	제가 직접 전담합니다.

내심 긴장한 듯 작게 한숨 내쉬는 정.
그때 안으로 들어오는 누군가, 아라다.

아라	전담하지 마 그럴 필요 없어.

도환 앞에 서류 탕 내려놓는 아라.

도환 서류 보면, 정에 대한 약식 기소장이다.

도환   ...!!

정   (엥? 자기도 당황스럽고)

S#22   **김태호 부장검사실 (낮)**

소파에 앉아 있는 김태호.

잠시 후 벌컥 문 열고 안으로 들어오는 이장원.

이장원   야 김태호!! (성큼성큼 김태호에게 걸어가며) 약식 기소?

          벌금? 제정신이야?!

김태호   인천 지검에서 연락이 왔습니다.

이장원   (보는)

김태호   혐의를 인정하고 반성하고 있다는 점,

          국민 대다수가 진 검사를 옹호하고 있다는 점을

          종합 참작해서

          약식 명령으로 청구하는 것이 어떻겠냐는

          의견이었습니다.

이장원   (다 알고 있다는 듯) 니 대학 후배가 거기 형사부장이지?

김태호   (능치는) 그렇습니까?

이장원   해서 넌, 그 의견에 동의한 것뿐이다?

김태호   반대할 이유는 없다 생각했습니다.

          과정이야 거칠었지만 결국 모든 건... (이장원 보는)

검찰 내 암 덩어리를 치우기 위한 일이니까요.

이장원	!! (김태호의 뺨 후려치는데)
김태호	(손 턱 잡는) 그땐 부하 검사가 있었지만,
	지금은 아무도 없습니다.
이장원	(김태호 노려보는) 그래. 이제야 김태호 본색이 드러나네.
김태호	(이장원 보는)
이장원	나 차장검사다.
	내 등에 칼 박으려고 하는 놈이 누군지 정돈
	다 꿰뚫고 있어.
	니가 왜 진검 그 놈한테
	서초동 살인사건을 배당했는지도.
김태호	(바라보고)
이장원	겉으로만 온갖 착한 척 정의로운 척 다하는
	위선자 새끼.
	기대해. 조만간에 니가 쓰고 있는 가면,
	내가 갈가리 찢어 줄 테니까.
	(김태호 노려보다가 밖으로 나가는)
김태호	(작게 한숨 내쉬고)

S#23 검찰청 취조실 (낮)

홀로 취조실에 남아 있는 도환.

도환	짜증 나게 하네...

도환의 핸드폰 진동 울린다. 도환 핸드폰 받으면,

형사1(소리)　유진철 위치 찾았습니다.
도환　　　　(표정에서)

S#24　민원봉사 사무실 (낮)

사무실 가운데 테이블에 앉아 있는 정과 아라.

정　　김태호 부장님이 힘써 주셨다고. 저 약식 기소.
아라　그러게 나도 미스테리다.
　　　왜 이렇게까지 너 커버 쳐 주시는 건지.
　　　리치펀드 김 대표도 고소 취하했어.
정　　그것도 부장님이?
아라　(끄덕이고)
정　　설마 나 좋아하시나?
아라　헛소리하지 말고 부장님한테 잘해.
　　　그래도 여기서 너 챙겨주는 사람 부장님밖에 더 있냐?
정　　선배도 있잖아요.
아라　(뭐라 말할까 하다가) 갑자기 뭔 말 같지도 않은 소릴,
　　　됐고 이제 어떻게 할 거야.

하는 그때, 안으로 들어오는 박재경.
엉거주춤 일어서 인사하는 아라.

| 박재경 | (두 사람 보다가) ... 진검. (밖으로 나와라 고갯짓, 나가고) |
| 정 | (아라에게) 잠깐만요. (나가는) |

S#25   민원봉사실 밖 (낮)

마주 서 있는 정과 박재경.

박재경	널 보니까 이런 소릴 많이 들어봤을 거 같애.
	뭐 하는 거냐?
정	많이 들어봤습니다.
박재경	그러니까 뭐 하는 거냐고.
	너 여기 형사부 아니야, 봉사실이야.
	하라는 민원 처리는 안 하고
	왜 수사 회의를 하고 있어?
정	오늘만 좀 봐줘요. 여기밖에 없어 그래.
박재경	(가만히 정 보다가) 말에 핀트가 나갔다는 건
	나만 느끼는 거니?
정	그니까 그만큼 상황이 급하다는 거지.
	다음에 제가 두 배, 아니 세 배로 일할게요.
	내가 퇴근 안 하고 여기서 살게.
박재경	안 돼, 더 싫어.
정	(보는)
박재경	밥 먹고 올 때까지
	안에 있는 사람 치우고 업무 복귀해.
	강아지 또 도망쳤댄다. (걸음 옮기는데)

정	(보다가, 진지한) 정말 너무 하시네.
박재경	(멈칫, 정 보면)
정	(비장한) 실장님은 어떤 검사입니까.
박재경	(보는)
정	다른 검사들은 절 불량품이라 부릅니다.
	하지만 전 부끄럽지 않습니다.
	전 저한테 떳떳하니까요.
박재경	(보는)
정	실장님은요? 스스로에게 떳떳한 검사십니까?
	아님 잘못된 걸 잘못됐다 말하지 못하고,
	뻔히 보이는 불의를 외면하고 자신의 이익만을 탐하는,
	이젠 부끄러움이란 감정도 느끼지 못하시는
	적폐 검사십니까.
박재경	(마음의 울림을 느끼는, 표정)
정	전 실장님을 믿습니다.
	지금은 비록 이런 남루한 곳에서
	토계부나 작성하고 있지만,
	실장님의 마음속 깊은 곳엔 공정 진실 정의 인권
	청렴이라는 올곧은 신념이 자리하고 있단 것을...!
	(하는데)
박재경	진 검사.
정	예 실장님!
박재경	아까부터 뭔 소리야 오글거리게.
	야 인마 요즘 그런 거 안 통해.
정	(민망하고)

박재경   애가 은근히 애늙은이네. (휘적휘적 걸음 옮기는)
정   ... 진짜 안 통하네.

S#26   폐건물 앞 (낮)

인적 없는 곳에 위치한 허름한 폐건물.
버려진 공사 자재들 위에 앉아 있는 중도와 은지.
맞은편엔 민구와 부하들이 앉아 있고.

중도   (바싹 쫄아 은지에게) ... 저분들은 누구야?
은지   (랩터 가위로 손톱 다듬으며) 동생.
중도   동생? (힐끔 민구와 부하들 보곤) 대가족이네.
민구   누님, 전쟁인 줄 알고 있는데 이게 뭡니까
         문지기나 시키고.
은지   심심해서.
민구   (말을 말자) ...
         큰형님 자꾸 찾으십니다 누님 어딨냐고.
         그러게 갑자기 은퇴는 왜 하셔 가지고.
중도   (은퇴? 은지 보는)
은지   (손톱만 다듬고)
민구   진짜 소문이 사실이요?
         누님 그 진정인가 뭔가 걔 때문에...

         하는 그때,
         휙 민구의 뺨을 스쳐 판자에 꽂히는 무언가,

랩터 가위다.

세상에... 입 떡 벌어져 은지 바라보는 중도.

민구에게 컷 사인을 보내는 은지.

은지	(일어서 폐건물 밖 거리로 걸음 옮기는)
중도	갑자기 어디가?
은지	아이스크림.

중도 고개 돌려 보면,

민구와 부하들, 자기를 노려보고 있고.

중도	같이 가! (은지 따라 쫓아가는)
부하	형님, 혹시 저분이 말로만 듣던...
	(판자에 꽂힌 랩터 가위 보는)
민구	조용히 해라. 함부로 입에 담을 분 아니시다.

S#26-1   추가 씬, 구멍가게 (낮)

냉동고에서 아이스크림을 고르고 있는 은지.

그 옆엔 중도가 양손 한가득 아이스크림 들고 서 있고.

중도	날도 추워지는데 뭔 아이스크림을 먹겠다고...
은지	얼어 죽어도 아이스크림. 너는 뭐?
중도	아 난 골라 먹는 거 아님 안 먹어서.
은지	(??, 고개 갸웃) 여기서 고르면 되잖아.

중도	있어 그런 게 넘어가.
	다 골랐음 가자 동생들 기다리겠다.

S#26-2 추가 씬, 폐건물 앞 (낮)

앉아 있는 민구와 부하들.
그때 그들 앞에 멈춰 서는 승용차와 승합차.
각각 차에서 내리는 도환과 형사들.
심상치 않은 분위기에 민구와 부하들도 일어선다.
고함을 지르며 건달들에게 달려드는 형사들.
격렬한 싸움 벌어지는 가운데
담담한 얼굴로 서 있는 도환.
옆에는 형사1이 서 있고.
싸움 중에 도환을 발견한 민구.
각목을 주워 들곤 도환에게 다가간다.

형사1	(총 꺼내 들어 민구에게 겨누는) 움직이지 마!

형사1의 외침 무시하고
계속해 도환에게 걸음 옮기는 민구.
그런 민구를 바라보던 도환,
형사1의 권총을 빼앗아 공포탄 두 발 빼곤
서슴없이 민구의 발을 향해 총을 쏜다.
탕-! 민구의 바로 앞에서 튕겨져 나가는 총알.

도환	(민구의 머리를 겨누며, 건달들에게) 무기 버려.
형사1	(경악) 검사님.
도환	무기 버려.

결국 하나둘 무기를 버리기 시작하는 건달들.
형사들, 건달들의 손에 수갑 채우며 제압하고.
형사1에게 총을 건네주는 도환.
건물 향해 걸음 옮긴다.

S#27   **민원봉사 사무실 (낮)**

이 쑤시며 안으로 들어오는 박재경.
멈칫 사무실 한쪽 보면,
서 있는 철기와 포메라니안 한 마리, 코코.
가만히 강아지 바라보다가
정의 책상에서 민원 처리 요청서를 꺼내는 박재경.
서류 안 내용과 강아지를 비교하기 시작한다.
이빨도 보고 발바닥도 보고 하다가,

박재경	야 애 아니잖아!

S#28   **정의 차 안 (낮)**

도로를 달리는 정의 차.
운전석엔 정, 조수석엔 아라가 앉아 있고.

아라	의외네? 강아지 키우고 있을 줄은.
정	강아지라니 무슨 그런 섭섭한 소릴, 가족 가족.
아라	(피식) 엄청 말 안 듣게 생겼던데. 꼭 지 아빠 닮아.
정	(거만한) 제 말만 듣는 게 탈이긴 하죠. 뭐랄까 세상에 원 앤 온리 그런 느낌?

진동 울리는 정의 핸드폰.
정 보면, 중도에게 온 전화다.

정	(받는) 어 지금 가고 있어. 유진철은?

S#29   지하 밀실, 정의 차 안 교차 (낮)

아이스크림 가득 든 봉지 든 채
핸드폰 통화 중인 중도.

중도	그게 이게 지금... 살짝 골 때리게 됐는데.

하며 앞을 보면, 유진철은 사라지고
덩그러니 비어 있는 의자만.
인상 쓰며 비어 있는 의자 바라보는 은지.

정	...!!

끼익 급하게 유턴하는 정의 차.

S#30   **검찰청 앞 (낮)**

기자들 앞에 멈춰 서는 도환의 차.
차에서 내리는 도환.
조수석에서 유진철을 데리고 나온다.
그들에게 쏟아지는 기자들의 카메라 플래시와 질문들.

기자1   이장원 차장 스폰 논란에 대해 말씀 부탁드립니다!
기자2   이장원 차장과는 언제부터 알고 계신 사이였습니까?
기자3   피해자와는 무슨 사이였습니까?

기자들의 질문 공세 무시하고
지검 향해 걸음 옮기는 도환과 유진철. 그때,

기자4   진술 내용은 사실입니까?
유진철   (멈칫, 도환 보면)
도환   (고개 끄덕이고)

뒤돌아 기자들을 바라보는 유진철.
뒤늦게 달려들어온 정과 아라.
당황스레 그 모습 바라보고.

유진철   (잠시 기자들 보다가)
        제가 진 검사와 통화했을 때 했던 말들은…
        전부 거짓입니다.

정,아라	!!
유진철	국민 여러분께 혼란을 드린 점
	진심으로 사과드립니다.
	아울러 저 때문에 마음고생하셨을
	이장원 차장님께도 사죄 말씀 드립니다.
	죄송합니다.

90도로 허리 굽혀 인사하는 유진철.
저쪽에 서 있는 정과 아라를 보며 미소 짓는 도환.
그런 도환을 노려보는 두 사람.

S#31　　김태호 부장검사실 (밤)

자리에 앉아 TV 뉴스를 보고 있는 김태호.
TV 뉴스, 중앙 지검을 배경으로 서 있는 기자의 모습.

기자5	이장원 차장검사의 20대 여성 스폰 폭로 당사자가
	촬영은 진정 검사의 강압에 의한 것이다 밝혀
	큰 충격을 주고 있습니다.
김태호	(뉴스 바라보고)
기자5	이에 이장원 차장검사 측은 허위사실유포 및
	허위사실적시 명예 훼손 혐의로
	진정 검사를 즉각 고소하기로...

리모컨으로 TV 끄는 김태호.

초조하고 심각한 얼굴로 작게 한숨 내쉬고.

S#32   **이장원 차장검사실 (밤)**

노트북으로 뉴스 기사를 보고 있는 이장원.
기사 헤드라인,
'서초동 살인사건 핵심 참고인 양심고백.'
'이장원 차장검사, 살인 누명 벗고 지검장 되나.'
'법무부, 이장원 차장검사 지검장 내정 긍정 검토.'
흐뭇한 미소 지으며 노트북을 보는 이장원.
그때 똑똑 노크 소리.
축하 꽃바구니를 들고 들어오는 여비서.

여비서   방금 배달 온 겁니다.

이장원 축하 꽃바구니에 붙어 있는 메시지 보면,
'다시 영전을 축하드립니다.'
피식 웃음 짓는 이장원.

S#33   **도환의 사무실 (밤)**

책상 의자에 앉아 있는 도환.
맞은편엔 유진철이 앉아 있고.

도환   (서류 정리하며) 요식이지만

	며칠 소환조사는 받으셔야 될 겁니다.
유진철	미안하게 됐수다.
	안 잡히려 그랬는데 애가 좀 치더라고.
도환	충분히 이해합니다.
	이득과 안위가 있는 쪽에 붙는 건
	사람이라면 당연한 거니까.
유진철	이제 앞으로 내가 확실하게 검사님 밑에 선다.
	원하는 거 있음 말만 해.
	술? 여자? 내가 다 들어줄게.
도환	제가 원하는 건 하나입니다.
	박예영이 살해당한 날 밤,
	이장원 차장님의 상황.
유진철	...!!
도환	사소한 거라도 좋습니다.
	말씀해 주실 수 있을까요?
유진철	갑자기 그건 왜?
도환	차장님한테 불리한 증거나 증언이
	남아 있을 수도 있으니까요.
	전 차장님을 위해 일합니다.
	(미소로 유진철 바라보는 데서)

S#34 　중도의 가게 (밤)

한자리에 모여 있는 철기, 중도, 은지.
잠시 후 안으로 들어오는 정과 아라.

은지	(으르르 아라 노려보고)
아라	(걸음 옮기며, 정에게) 쟤 나한테 감정 있니?
중도	(느끼한 미소로 아라 보고)
아라	(걸음 옮기며, 정에게) 쟨 나한테 감정 있네.
정	(사람들 앞에 서서) 시간 없으니까 바로 본론 가자.
	우린 지금부터, 이장원 차장의 USB를 턴다.
사람들	(놀라 정 바라보고)
정	증거 중인 다 뺏기고
	상황이 아주 거지 같이 흘러가고 있어.
	역전 시킬 수 있는 건 이장원이 갖고 있는 증거,
	USB 하나야.
아라	잠깐 진정.
	오도환한테 뺏기기 전에 안에 내용 봤다며.
	백업은 안 해 놨어?

짜증스레 중도를 노려보는 정과 철기, 은지.
민망한 표정의 중도.
네 사람을 바라보는 아라. 무슨 일인가 싶고.

S#35   **회상, 민원봉사 사무실 (밤)**

2화 40씬 연결
서류와 각종 물건들을
박스 안에 집어넣기 시작하는 수사관들.
강 수사관은 테이블 위 사진을 챙기고.

그 모습 바라보던 정.
슬며시 책상 위 USB를 숨기려 하는데,
다가가 USB를 빼앗는 강 수사관. 픽 냉소하며 품에 넣는다.
그런 강 수사관을 바라볼 수밖에 없는 정.
어느 순간 피식 미소 지으며 철기에게,

정   (작게) 고중도한테 백업 파일 받아 와.

S#36   **회상, 중도의 가게 (밤)**

중도   …어?

당황스런 표정의 중도.
그런 중도 황당히 바라보는 철기와 은지.

S#37   **중도의 가게 (밤)**

아라   (어이없는) 그러니까…
             저장 공간이 없어서 백업을 못했다.
중도   (사람들에게) 난 그냥 하드에
             야동 하나쯤은 있는 거니까…
             걔들이 자긴 지우지 말라 하고.

아라 가게 한쪽 보면,
수북이 쌓여있는 컴퓨터 하드들.

은지	쓰레기.
중도	박애주의자라 해 줘.
정	(이해 됐죠? 라 보는)
아라	(진정하고) ...그래서, USB는 어딨는데?
정	중앙 지검 13층. 이장원 차장검사실.
은지	!!
아라	!!
중도	(고개 끄덕이는) 차장검사실...
	(대경실색) 차장검사실?!
철기	(난감한) USB가 차장검사실에 있단 건
	확실한 정보인 건지...?
정	(미소 짓는)

S#38 회상, 이장원 차장검사실 (밤)

32씬 연결
이장원 축하 꽃바구니에 붙어 있는 메시지 보면,
'다시 영전을 축하드립니다. '
피식 웃음 짓는 이장원.

이장원	(창가 쪽 가리키는) 저 아무 데나 갖다 놔.

창가에 축하 꽃바구니를 놓고 나가는 여비서.
품에서 USB를 꺼내는 이장원.
금고 안에 USB를 넣는다.

그리고...
그 모습 찍고 있는 축하 꽃바구니 속 소형 카메라.

S#39 **중도의 가게 (밤)**

적막 속에서 정을 바라보는 네 사람.

중도   (도망가려고 슬며시 일어서는)
은지   (바지춤 잡아당기며 앉히곤) 들어갈 방법은?
아라   혹시나 말하는데
           몰래 들어갈 생각은 꿈에도 꾸지 마.
           그건 애초부터 불가능하니까.

+   인서트
           이장원 차장검사실 앞, 데스크에 앉아 있는 여비서.
아라(소리) 문 앞을 지키고 있는 여비서.

           카드 키로 차장검사실 문을 여는 이장원.
아라(소리) 카드 키를 갖고 있는 건 이장원 차장 하나.
           그리고 제일 큰 문제.

           차장검사실 앞을 비추고 있는 복도 CCTV.
아라(소리) 복도 CCTV.

아라   내가 왜 이런 말 하는지 모르겠어?

니가 한 말은 처음부터 말이 안 된단 소리야.

세상에 어떤 미친놈이

차장검사실을 털 생각을 해...!

중도   (고개 끄덕이고)

아라   진짜 이건 아니야 진정. 다른 방법 생각하자.

정   다른 방법 없습니다.

법대로 다 따져 갔다간 정년 끝나도 못 잡아요.

철기   카메라에 들키지 않게 하는 게 관건인 거 같습니다.

생각해 둔 방법이라도 있으신지...?

정   7년 전인가?

주택가에서 주민들이 대피한 사건이 있었어.

S#40   **검찰청 복도 (밤)**

주위를 살피며 증거 보관실 안으로 들어가는 정.

정(소리)   당시 경찰에 붙잡혀 입건된 사람은

검찰 압수품 담당 직원.

S#41   **검찰청 증거 보관실 (밤)**

선반에서 증거품 보관 박스를 꺼내는 정.

정(소리)   혐의는 총포 도검 화약류 단속 위반.

야밤에 어마무시한 걸 떨어뜨렸거든.

박스 안에서 무언가를 꺼내 드는 정.

투척식 최루탄이다...!

최루탄 바라보는 정의 표정에서.

S#42 **중도의 가게 (밤)**

정 사람들 보면,

할 말을 잃은 채 정을 바라보고 있는 네 사람.

정 일단 내가 너무 잘 생겼어도 그렇게 보진 말자.

아무리 나라도 대놓고는 부담스럽네.

중도 왜 바닥 밑에 지하가 있냐...

철기 이건 비행기 멈추는 거랑

차원이 다른 일입니다 검사님.

만약 일이 잘못되면 최소 징역 5년입니다.

정 리스크 없으면 그건 인생 아니지.

(사람들 보는) 가자,

나쁜 놈 잡으러.

S#43 **검찰청 복도 (밤)**

이장원 차장검사실 앞,

데스크에 앉아 컴퓨터 업무를 보고 있는 여비서.

띠링- 모니터에 뜨는 이메일 도착 팝업.

'배우 김 모 씨 마약 투약 혐의로 검찰 출두!'

어머 웬일이니.

여비서 주변 눈치보곤 이메일 클릭하면,

갑자기 팍 꺼지는 컴퓨터.

여비서   (전원 버튼 누르고 키보드 두드리고) 갑자기 왜 이래?

그때 여비서에게 다가오는 한 사람,

컴퓨터 수리업체 복장을 한 중도다.

귀에는 무선 이어폰을 꽂고 있고.

중도   실례합니다. 혹시 이메일 클릭하셨습니까?

                김 모 씨 마약 투약.

여비서   갑자기 그건 왜...?

중도   (심각한) 악성코드 바이러스입니다.

                지금 건물 전체에 동일한 이메일이 퍼져 있어요.

                (무선 이어폰에) 통신보안 13층입니다.

                차장검사실 데스크 감염 확인.

여비서   !!

정(소리)   알았으니까 빨리 들어가 애들 기다린다.

중도   (여비서에게) 혹시 지금 컴퓨터 꺼졌습니까?

여비서   (당황) 예.

중도   이런 제길! 한발 늦었어.

                코드 뽑고 대기하세요.

                (차장검사실 가리키는) 안에 사람 있습니까?

여비서   예. 차장님 집무실은 왜?

중도	아직도 모르겠어요?
	이 바이러스는 보통 바이러스가 아닙니다.
	와이파이 감염이라고요!
여비서	!!
중도	골든타임 얼마 안 남았어요.
	연락해요, 빨리!

S#44   이장원 차장검사실 (밤)

소파에 앉아 서류를 보고 있는 이장원.
중도는 책상 위 컴퓨터에
바이러스 검색 프로그램을 돌리고 있고.

중도	(인터컴 누르고, 애교스럽게) 냉커피 한 잔이요.
이장원	(어이없이 중도 보면)
중도	죄송합니다. (인터컴 누르고, 애교스럽게) 두 잔이요.
이장원	(심기 불편한, 헛기침하고) 난 됐어.

(경과)
책상 위에 놓인 냉커피 한 잔.
중도 힐끔힐끔 창문 바라보면,

이장원	(서류 보는 채) 아직 멀었나?
중도	!! 아 예 거의 끝나갑니다.
	와 근데 여긴 되게 덥다.

이장원	(에어컨 보면, 25도다) 덥다고?
중도	예 제가 뜨거운 남자라, 잠깐 창문 좀 열겠습니다.
	(창문 열곤 꽃바구니에서 카메라 챙기는, 무선 이어폰에)
	클리어.
정(소리)	철기야 가자.

S#45 검찰청 옥상 (밤)

붙잡고 있던 밧줄을 천천히 내리는 철기.
검찰청 외벽, 창문 닦이 의자에 앉아 있는 은지.
차장검사실 창문을 향해 내려가기 시작한다.
손에는 최루탄을 들고 있고.
차장검사실 창문에 다다른 은지.
힐끔 창문 안 보면, 중도와 이장원이 보인다.

은지	(무선 이어폰에) 세팅 끝.
정(소리)	자 이제 마지막이야. 고중도.

S#46 이장원 차장검사실 (밤)

가방과 냉커피 챙긴 채
이장원에게 걸음 옮기는 중도.

중도	다 됐습니다. 컴퓨터에 특별한 이상은 없고...

순간 엉키는 다리 스텝.

일부러 넘어지며 이장원의 셔츠에 커피 쏟아 붓는 중도.

중도   아이고야 이를 어째!

           죄송합니다! 죄송합니다!

이장원   이 자식이 보자 보자 하니까... (중도 노려보고)

중도   (고개 조아리는) 정말 죄송합니다. 어떻게 제가 세탁비를...

이장원   됐어! (신경질 부리며 일어서 밖으로 걸음 옮기는)

중도   (거만한) 배우나 할 걸 그랬나.

정(소리)   물건 놓고 나가. 밖에 바람 엄청 분다.

철기(소리)   (힘겨운) 슬슬 힘든데요.

은지(소리)   (차분한) 그냥 던지면 안 돼?

중도   (여유 있는) 알았어 알았어. 금방 나갑니다.

S#47   **이장원 차장검사실 창문 밖 (밤)**

최루탄 안전핀 뽑을 준비 하며 기다리고 있는 은지.

그때 갑자기 횡 하고 부는 바람.

움찔 놀라 밧줄을 잡는 은지.

문득 최루탄 보면, 안전핀을 뽑아 버렸다...?

잠시 최루탄 바라보다가,

무심히 툭 창문 안으로 집어넣는 은지.

S#48   **이장원 차장검사실 (밤)**

비밀번호 해제기기를 금고에 붙이는 중도.

중도   놓고 갑니다.
          난 얼굴 팔렸으니까 나머진 진형이 알아서...

하는 그때, 또르르 굴러들어와
중도의 발에 부딪히는 최루탄.

중도   (가만히 보다가, 탄식) 쟤를 어떡하면 좋니...

푸슈욱 연기를 내뿜기 시작하는 최루탄.

S#49   중앙 지검 전경 (밤)

크게 울려 퍼지기 시작하는 사이렌 소리.

S#50   몽타주

/ 아라의 사무실 (밤)
당황스레 서로를 바라보는 박 수사관과 윤 사무관.
결국 저질렀구나.
자리에 앉아 있는 아라.

안내(소리)   안내 말씀 드립니다.
             검찰청 내에 원인을 알 수 없는

가스 테러가 발생하였습니다.

아라   (맙소사... 두 손에 얼굴 파묻고)

/ 도환의 사무실 (밤)

업무를 보던 도환. 갑자기 무슨 일인가 싶고.

안내(소리)   지검 내 모든 인원은
지금 즉시 야외로 대피해 주시기 바랍니다.

/ 김태호 차장검사실 (밤)

퇴근 준비를 하던 김태호.

안내(소리)   다시 한번 안내 말씀 드립니다.
검찰청 내에 원인을 알 수 없는
가스 테러가 발생하였습니다.

김태호   (누구 짓인지 알겠다, 옅게 미소 짓는)

/ 검찰청 화장실 (밤)

세면대에서 셔츠를 닦던 이장원.
당황스러운 표정.

안내(소리)   지검 내 모든 인원은
신속하게 대피해 주시기 바랍니다.
본 상황은 실제 상황입니다.

S#51 **검찰청 복도 (밤)**

최루탄 연기와 대피하는 사람들로 난리가 난 복도.

+ 인서트

차장검사실 복도를 비추고 있는 CCTV 카메라 영상.
자욱한 연기 때문에 아무것도 안 보이고.

마스크와 모자 눌러쓴 채 엘리베이터에서 내리는 정.
양팔 벌린 채 눈물 콧물 흘리며 도망치는 중도를 스쳐
차장검사실 향해 걸음 옮긴다.

S#52 **이장원 차장검사실 (밤)**

연기 자욱한 차장검사실.
안으로 들어오는 정.
문을 잠그곤 금고로 걸음 옮긴다.
비밀번호 해제기기를 작동시키고.

S#53 **검찰청 복도 (밤)**

방독면을 쓴 채
이장원 차장검사실로 걸음 옮기는 양복들.

S#54 **이장원 차장검사실 (밤)**

해제기기에 하나씩 뜨기 시작하는 비밀번호들.
초조한 얼굴로 금고가 열리기만을 기다리고 있는 정.
그때 덜컥덜컥 흔들리는 차장검사실 문고리.
놀라 문 쪽 바라보는 정.

S#55   **검찰청 복도 (밤)**

차장검사실 앞에 서 있는 양복들.
비상용 카드 키로 문을 열고 들어간다.

S#56   **이장원 차장검사실 (밤)**

안으로 들어오는 양복들. 최루탄을 주워 드는 양복.
날카로운 눈빛으로 주위 둘러보면, 아무도 보이지 않는다.
아무도 없단 걸 확인한 후
다시 밖으로 걸어 나가는 양복.
그러다 문득 멈칫, 뒤돌아보면,
살짝 열려 있는 창문.
다가가 창문 밖을 살펴보는 양복. 아무도 없다.
그리고 보이는 창문 밖 바로 위,
바싹 긴장한 채 창문 닦이 의자에 앉아 있는 정.

S#57   **검찰청 로비 (밤)**

땡- 엘리베이터 문이 열리면,

밖으로 나오는 정과 은지, 철기.
이게 무슨 일인가 혼란스러워하는 사람들을 뚫고
당당하게 걸음 옮기는 세 사람.

S#58   **이장원 차장검사실 (밤)**

분노로 비어 있는 금고 바라보고 있는 이장원.
그 옆엔 도환이 서 있고.

도환   CCTV론 용의자를 특정하기 어려울 것 같습니다.
이장원   검찰 전체를 통틀어 이런 짓을 할 놈은...
         한 놈밖에 없어.
도환   (보는)
이장원   진 검사 찾아와. 당장.

밖으로 나가는 도환. 문 닫히면,
지금껏 참고 있던 화 전부 폭발시키듯
책상 위 물건 쓸어버리는 이장원.
분을 못 이긴 듯 씩씩대는 표정에서.

S#59   **카페 (밤)**

마주 앉아 있는 정과 아라.

아라   증거 보관실 출입기록 삭제했어.

	니가 터뜨린 최루탄도…
	(여전히 충격이다, 잠시 있다가) 증거 목록 잘 정리했고.
정	역시 선배. 내가 이래서 선배가 좋아.
아라	좋아는 반말이고 인마아.
	어쨌든 너 봐주는 거 여기까지야.
	다음엔 절대 안 돼.
정	(미소로 아이스 커피 마시는)
아라	진짜 내가 어쩌다 이런 놈 사수를 맡아 가지고…
	너 솔직히 말해 봐.
	사람들이 너 검사로 안 보지.
정	세상이 거지 같잖아요. 이런 놈 하나쯤은 있어야지.
아라	(보다가) …이장원 차장 지금 난리 났어.
	오도환은 너 찾는다고 눈 시뻘게져 있고. 대책 있어?
정	글쎄요…
	(USB 보며)
	얘를 어떻게 써야 잘 썼단 소리 들으려나…?

S#60   **중앙 지검 전경 (낮)**

S#61   **이장원 차장검사실 (낮)**

심각한 얼굴로 자리에 앉아 있는 이장원.
그때 울리는 책상 위 인터컴 소리.

여비서(소리)   차장님, 진정 검사 왔습니다.

이장원	...!!
정	(안으로 들어와) 아이고 이게 뭔 냄새야.
	얘긴 들었습니다.
	어제 여기 큰일 있었다고.
이장원	(분노로 정 노려보는)
정	신성한 검찰청에서 누가 그런 해괴망측한 짓을,
	범인은 잡았어요?
이장원	(와락 정의 멱살 잡는) 너 이 새끼...!!
정	에헤이 사람 채신머리없게 참,
	이거 놓고, 놓고 얘기합시다.
이장원	(정 노려보다가, 어쩔 수 없이 멱살 놓는)
정	(자기 셔츠 살피며) 아 이 셔츠 비싼 건데,
	이게 무슨 매너입니까 야만스럽게.
이장원	감히 니가... 이딴 짓을 하고도 무사할 거 같아?
정	제가요? 왜요?
이장원	개 같은 소리 지껄이지 마.
	너 말고 그딴 미친 짓을 누가 한다고.
정	아무리 제가 싫어도 이렇게 넘겨짚는 건 오바지.
	제가 했단 증거 있습니까?
이장원	(이 악물고 정 노려보는) 니가 이런다고...
	날 잡을 수 있을 거 같아?
정	(보는)
이장원	넌 나 못 잡아. 니가 이런다고 변하는 건... (하는데)
정	변하는 건 없다느니 그런 촌스런 멘트는 날리지도 마시고,
	이거나 한번 보시죠.

리모컨으로 TV를 트는 정. 뉴스 속보가 나오고 있다.

앵커   속보입니다.
중앙 지검 이장원 차장을 둘러싼
20대 여성 스폰 의혹이 사실로 밝혀졌습니다.

뉴스 화면,
유흥업소 고객 장부에 기록되어 있는
이장원과 박예영의 이름(모자이크),
두 사람이 함께 집에 들어가고 있는 사진이 나오고.

앵커   취재진이 단독 입수한 자료입니다.
이장원 차장과 박 모 씨의 밀회 현장 사진입니다.

이장원   (충격과 당황으로 TV 바라보고)

앵커   더더욱 충격적인 사실은 사진 속 박 모 씨는
지난 12일 발생했던 서초동 살인사건의 피해자란 점,

S#62   **도환의 사무실 [낮]**

자리에 앉아 TV 뉴스를 보고 있는 도환.
당황스러운 표정.

앵커   그리고 사진 하단 두 사람이 만난 일자가,
살인사건 발생 일자와 동일하다는 점인데요,

앵커   자신은 피해자와 아무 관련도 없다는
       이장원 차장의 거짓말 논란,
       그리고 사건의 용의자는 이장원 차장이라는
       진정 검사의 주장까지...

정   (리모컨으로 TV 끄곤) 어느 드라마에서
       이런 말이 나옵니다.
       악은 성실하다. 제가 좋아하는 말입니다.
       촌철살인 멋있잖아.

이장원   하고 싶은 말이 뭐야.

정   실제로도 악은 성실합니다.
       근데 걔들이 모르는 게 하나 있어.
       (이장원 보는) 난 걔들보다 배는 더 성실하단 거.

이장원   (정 보는)

정   정리할 시간은 드리겠습니다. (꾸벅 인사하고 나가는데)

이장원   난 그 여자를 죽이지 않았어.

정   (멈칫, 이장원 보는)

이장원   자네 말대로
       사건 당일 그 여자와 같이 있었던 건 사실이야.
       근데 살인은 아냐.

정   말씀의 근거는 있으십니까?

이장원   (명함 꺼내 건네주는)

정   (보면, 호텔 레스토랑 명함이다)

이장원   8월 12일 오후 9시.

정	박예영 사망 추정 시간.
이장원	그날 호텔 레스토랑 CCTV, 확인해 봐.

뒤돌아 걸음 옮기는 정.
그러다 문득 떠오른 생각에 멈칫,
다시 이장원을 바라본다.

정	알리바이가 있다는 거,
	왜 이제야 말씀하시는 겁니까.
이장원	(아무 말 않고)
정	차장님 치부를 감추기 위해서였습니까?
	둘 사이 관계가 드러나면 안 되니까.
	지검장 명패 때문에.
	김효준이 피의자가 아니란 거 알고 있었으면서.
이장원	(표정)
정	죄송합니다.
	제가 묻고 제가 답을 했네요. (밖으로 나가는)

S#64 **검찰청 구내식당 (낮)**

식판을 반납하곤 밖으로 걸음 옮기는 김태호.
한쪽 테이블에선 검사들이 한창 수다를 떨고 있다.

검사1	차장님 얘기 들었어?
검사2	모르긴 몰라도 지검장은 완전히 물 건너갔지 뭐.

검사1	그럼 이제 남은 건... 박재현 고검장님?
	수원 지검에 김준수도 있고.
검사2	김태호 부장님은?
검사1	그 사람은 기수가 한참 멀었지.
	자리 같은 거 연연하는 사람도 아니고...

하다가 김태호 발견하곤 황급히 일어서는 검사들.

검사1, 2	안녕하십니까.
김태호	떠들고 놀 시간에 자료 한 장이라도 보는 건 어때?
	(미소로) 일이 없다면 내가 더 주고.
검사1	아닙니다. 죄송합니다.
김태호	자기 일만 하자 우리. 그럼 아무도 우리 욕 안 한다.

꾸벅 인사 후 자리를 빠져나가는 검사1, 2.

한심하다는 듯 고개 저으며 밖으로 걸음 옮기는 김태호.
그리고 보이는 식당 한구석,
김태호를 바라보고 있는 한 사람, 박재경이다.

박재경(소리)	태호야!

S#65   **회상. 검찰청 지하 주차장 (낮)**

자신의 차에 오르려다가,

목소리에 뒤돌아보는 과거의 김태호.
허겁지겁 달려오고 있는 과거의 박재경이 보인다.

박재경 (무릎 꿇고 싹싹 비는) 태호야 미안하다,

    내가 니 말 들었어야 했는데,

    내가 정말 죽을죄를 졌다. 한번만, 한번만 용서해 주라.

김태호 (안타까이 박재경 보다가, 일으켜 세우는)

    일단 일어나. 일어나서 얘기하자.

박재경 우리 동기잖아 태호야,

    앞으로 니가 시킨 거라면 전부 다 할게!

    내가 잘못했어, 내가 정말 잘못했으니까...

    제발 한번만 봐주라.

S#66 **검찰청 구내식당 (낮)**

길목을 지나가다가 툭 박재경을 건드리는 검사3.

검사3 죄송합니다.

상념에서 깨어난 박재경.
씁쓸한 한숨 내쉬며 밥 먹기 시작하고.

S#67 **호텔 레스토랑 카운터 (밤)**

정에게 태블릿 PC 보여 주는 직원.

CCTV 화면,
카운터에 서 있는 이장원과 딸 이나영,
손녀 예지(6살)의 모습.
정 화면 하단의 촬영 시간 보면,
'2022년 8월 12일 21시 05분.'
완벽한 알리바이다. 작게 한숨 내쉬는 정.

S#68   **이장원 변호사 사무실, 정의 차 안 교차 (밤)**

아직 짐들을 옮기지 않아 비어 있는 사무실.
자신의 변호사 명함을 보며 핸드폰 통화 중인 이장원.

이장원   (웃으며) 맞아 만나서 밥이라도 한 끼 해야 되는데.
말 나온 김에 내일 보는 건 어때.
명함도 새로 팠겠다 겸사겸사...
(듣고) ..그래? ...그래 그럼 어쩔 수 없고.
다음에 술 한잔 하자고. (끊는)

이장원 수첩 보면,
'북부 지검 황동철', '고검 윤영호', '대검 오성식' 등
지금까지 연락한 사람들 전부 선이 그어져 있다.
씁쓸한 이장원의 표정.
그때 진동 울리는 핸드폰. 전화 받는 이장원.

이장원   (받는) 음.

도로를 달리는 정의 차. 운전하며 핸드폰 통화 중인 정.

정	진정입니다 차장님.
	방금 차장님 알리바이 확인했습니다.
이장원	다행이군.
정	이제 말씀해 주시죠. 그날 대체 무슨 일이 있었던 건지.
이장원	(표정에서)

S#69 회상, 박예영의 집 거실 (밤)

생각에 잠긴 채 소파에 앉아 있는 이장원.

박예영	(창가 블라인드 치며) 아저씨가 저번에 왔을 때
	잃어버렸다 한 거 있잖아, 아무리 찾아도 없던데?
이장원	!! 확실해?
박예영	응. 근데 그건 왜 그렇게 찾아? 중요한 거야?
	대체 어디 간 거지?

당황스러운 얼굴로 아무 말 못하는 이장원.
그때 진동 울리는 핸드폰. 스케줄 팝업 창이 떠 있다.
'가족 외식.'
자리에서 일어서는 이장원.
의자에 걸쳐 놨던 재킷을 걸치고.

S#70 정의 차 안, 이장원 변호사 사무실 교차 (밤)

정	…끊기 전에 하나만 더 묻겠습니다.
이장원	(듣는)
정	혹시 차장님… 진범이 누군지 알고 계신 겁니까?

S#71   도환의 사무실 (밤)

노트북으로 유진철의 블랙박스 영상을 보고 있는 도환.
박예영의 집 앞 조금 떨어진 곳에서
이장원과 박예영을 찍고 있는 영상이다.
웃으며 이장원을 맞이하는 박예영.
함께 안으로 들어가는 두 사람의 모습이 나오고.
영상 보는 도환의 표정. 그 위로

유진철(소리)	어떡하나 우리 검사님.

S#72   회상, 도환의 사무실 (밤)

33씬 연결

유진철	내비 완전히 잘못 찍으셨네. 이장원 범인 아니야. 진범 따로 있어.
도환	…!!
유진철	내가 두 사람 찍으면서 본 게 있거든.

+	인서트
	3화 71씬 연결

박예영의 집 앞 조금 떨어진 곳.
차 안에서 카메라로
이장원과 박예영을 찍고 있는 유진철.

유진철   내 차 블랙박스 확인해 봐.

S#73   **도환의 사무실 (밤)**

계속해서 블랙박스 영상을 보는 도환.
영상, 갑자기 밖으로 나오는 이장원.
자신의 차에 올라타더니 차를 출발시킨다.
잠시 후, 유진철의 차를 스쳐
박예영의 집 향해 걸어가는 남자(지한)의 뒷모습.
한 손으론 특이한 모양의 피젯 스피너를 돌리고 있다.
영상을 리와인드시키는 도환.
지한의 뒷모습이 가장 크게 잡혔을 때 스톱.
누구냐 넌.
손가락으로 톡톡 영상 속 지한을 건드리는 도환.

S#74   **이장원 변호사 사무실, 정의 차 안 교차 (밤)**

이장원   (창밖 바라보며) 잠깐 얼굴 좀 보지.
정   (갑자기 왜? 표정)
이장원   자네한테 할 얘기가 많아.
    자네가 꼭 들어야만 하는 얘기기도 하고.

정	지금 바로 가죠.
이장원	반포동에 새로 신축한 법조 타운이 있어.
	개업 준비 중이지만 이젠 여기가 내 사무실이야.
	단둘이 얘기하기도 좋고 여기서 보지.

핸드폰 내리는 이장원. 창밖 바라보는 모습에서.

S#75   **법조 단지 (밤)**

인적 하나 없는 법조 단지.
안으로 들어서는 정의 차.
지나가던 경비원.
고개 갸웃하며 정의 차를 바라보고.

S#76   **법조 타워 입구 (밤)**

차에서 내리는 정. 건물을 향해 걸음 옮긴다.
그때, 쿵-! 하는 소리와 함께 바닥에 떨어지는 한 남자.
정 돌아보면, 이장원이다!
충격으로 얼어붙은 정의 모습에서...!!

- 3화 끝 -

episode 4

●●●

갑작스러운 이장원의 투신자살.
뭔가 냄새가 난다. 이장원에 대한
타살 의혹을 제기하며 수사에 임하
는 정.
한편, 이장원이 계속 자살로 남아
있길 바라던 한 사람, 로펌 강산의
대표 서현규는 그런 정을 눈엣가시
로 여기는데...

S#1   **이장원 변호사 사무실, 정의 차 안 교차 (밤)**

3화 74씬 연결

이장원   (창밖 바라보며) 잠깐 얼굴 좀 보지.

정   (갑자기 왜? 표정)

이장원   자네한테 할 얘기가 많아.

                자네가 꼭 들어야만 하는 얘기기도 하고.

정   지금 바로 가죠.

이장원   반포동에 새로 신축한 법조 타운이 있어.

                개업 준비 중이지만 이젠 여기가 내 사무실이야.

                단둘이 얘기하기도 좋고 여기서 보지.

                핸드폰 내리는 이장원. 창밖을 바라본다.

                소리 없이 열리기 시작하는 문.

                모자에 마스크, 손에는 멸균 장갑을 끼고 있는 태 실장,

                이장원 향해 다가가는 데서.

(모자와 마스크 멸균 장갑 낀 태 실장은 남자처럼,

혹은 여자인 걸 모르게 그림자만 보이도록 부탁드립니다.)

S#2 **정의 차 안 (밤)**

도로를 달리는 정의 차. 운전 중인 정.

S#3 **이장원 변호사 사무실 (밤)**

자신의 목을 부여잡으며 바닥에 쓰러지는 이장원.

몸에 마약 투약 효과가 나타나기 시작한다.

극도의 흥분과 떨림,

숨을 헐떡이며 태 실장을 노려보는 이장원.

태 실장 문득 창밖 보면,

차 한 대가 다가오고 있는 게 보인다.

주사기를 품에 넣는 태 실장.

서늘히 이장원 바라보고.

S#4 **법조 타워 앞 (밤)**

차에서 내리는 정. 건물을 향해 걸음 옮긴다.

그때, 쿵-! 하는 소리와 함께 바닥에 떨어지는 한 남자.

정 돌아보면, 이장원이다!

충격으로 얼어붙은 정의 모습에서.

진검승부

S#4-1   **추가 씬, 법조 타워 앞 (낮)**

폴리스 라인이 쳐져 있는 이장원의 자살 현장.
카메라 앞에서 현장 상황을 보도하고 있는 기자1.

기자1   어젯밤 반포동에 위치한 법조 타운에서
             이 모 씨가 변사체로 발견되었습니다.
             경찰은 이 씨에 대한 생전 행적을 조사하고,
             정확한 사망 원인을 파악하는데
             주력할 방침이라 밝혔습니다.

S#5   **이장원 변호사 사무실 (낮)**

무거운 얼굴로 서 있는 정의 모습.

이장원(소리)   자네한테 할 얘기가 많아.
             자네가 꼭 들어야만 하는 얘기기도 하고.
정   (자살이 아니다, 표정 결연해지는 데서)

S#6   **아라의 사무실 (낮)**

자리에 앉아 있는 아라. 그 앞엔 정이 서 있고.

아라	그러니까 니 말은,
	차장님은 서초동 살인사건 피의자가 아니다?
정	알리바이 확인했습니다.
	8월 12일 오후 9시, 호텔 레스토랑 CCTV.
아라	그럼 왜? 왜 투신을 한 건데?
정	알아봐야죠.
	다만 지금 말씀 드릴 수 있는 건,
	차장님은 자살이 아닐 수도 있단 겁니다.
아라	(보는)
정	저한테 할 얘기가 있다 했어요. 제가 꼭 들어야만 한다고.
	(이장원의 수첩 보여 주는) 사망 전까지
	차장님이 연락한 사람들이에요. 내용은 전부 똑같습니다.
	변호사로 명함 새로 팠다, 조만간에 한번 보자.
아라	(정의 말이 일리 있다 느끼는, 표정)
정	다음 주 손녀딸 생일이라고
	선물까지 주문해 놓은 사람이에요.
	아무리 봐도 이상하잖아요
	이런 사람이 갑자기 자살이라니.
아라	(보는)
정	여지가 너무 많아요. 이거 수사해야 돼요 선배.
아라	좋아, 니 말이 어느 정도 일리 있다는 건 인정.
	근데 수사는 안 돼.
정	!! 선배.
아라	니가 하는 말 전부 정황이란 건
	내가 따로 설명은 안 할게.

	증거 없이 니 주장 하나만 갖고
	수사를 시작할 순 없단 것도.
	그리고 너 이러는 거 엄밀히 말해 월권이야.
	선 넘는 거라고 봉사실 진 검사님.
정	(보는)
아라	봉사실로 복귀해. 차장님 건은 형사부에 맡기고.
정	알겠습니다.
아라	(알아들었나 싶은) 일단 니 의견은 참고할게.
	당분간 아무 생각하지 말고... (하는데)
정	증거 찾아오겠습니다.
	수사를 안 할래야 안 할 수가 없는, 확실한 증거.
아라	뭐?
정	선배는 거기서 움직이지 마, 가만있어.
	내가 다 퍼 가지고 다 떠먹여다 줄게.
아라	(땅-하고) 무슨 애가 말이 안 통해,
	(성질) 야 이걸 내가 수사 안 하고 싶어 안 하겠대?!
	요건 자체가 성립이 안 되잖아 요건 자체가!
정	그러니까 그걸 내가 찾아오겠단 거잖아!
아라	근데 이 시끼가 말이 점점...! (확 정에게 달려들면)
정	(후다닥 밖으로 도망치고)
아라	아오 저걸 진짜 내가! (하면서도 정의 말 곱씹어 보고)

S#7   **검찰청 휴게실 [낮]**

커피를 마시고 있는 검사1과 검사2.

검사1	어제 차장님 자살하신 거.
	아무래도 뭐가 있는 거 같지?
검사2	당연하지 선수들끼리. 모르는 척 가만있어.
	나댔다가 괜히 불똥 튄다.

그때 안으로 들어오는 도환.
커피 자판기로 다가가 동전 넣는다.
도환을 보며 비웃음 짓는 검사1, 2.

검사1	오 검사, 너 이제 어떡하냐?
검사2	어떡하긴 뭘 어떡해. 완전 낙동강 오리알 된 거지.
도환	(자판기만 바라보고)
검사1	천하에 오도환이 불쌍하게 됐네.
	(자판기에 동전 넣어 주며) 속 쓰릴 건데 한 잔 더 해.
검사2	금요일에 송별회 한번 하자.
	연락할게. (웃으며 검사1과 자리 옮기는)
도환	(가라앉은 표정에서)

S#8   아라의 사무실 (낮)

곰곰이 생각에 잠겨 있는 아라.

정(소리)	이거 수사해야 돼요 선배.
아라	(잠시 고민하다가, 일어서 밖으로 나가는)

S#9   김태호 부장검사실 (낮)

소파에 앉아 이장원 투신자살 뉴스를 보고 있는 김태호.

기자1(소리)   서초동 살인사건의 유력 용의자로 지목 받아 온
            이장원 차장검사가 숨진 채 발견되었습니다.
            검찰은 주변 CCTV 등을 분석한 결과
            타살 혐의는 없는 것으로 보인다며 자세한 경위를...

            작게 한숨 내쉬며 리모컨으로 TV 끄는 김태호.
            그때 똑똑 노크 소리. 잠시 후 안으로 들어오는 아라,
            김태호에게 꾸벅 인사하고.

김태호   (아라에게 앉으라 손짓)
아라   (소파에 앉는) 수심이 깊어 보이십니다.
김태호   유가족으로 따님이 한 분 계셔.
            연락해서 내가 직접 찾아뵙겠다 해.
            차장님은 순직 처리 조치하고.
아라   예.
김태호   내가 차장님을 조금 더 잘 모셨으면...
            이런 일은 없었을까?
아라   부장님.
김태호   소식 접하고부터 계속 그런 생각이 들어.
            혹시라도, 만약에라도 내가 차장님 선택에
            일조한 게 아닐까 하는. (괴로운 표정)

아라	(안타까이 김태호 보는)
김태호	진 검사는 어때.
아라	이장원 차장이... 자살이 아닐 수도 있다
	주장하고 있습니다.
김태호	!! 뭐?
아라	아직은 심증뿐입니다만...
	사안이 사안인 만큼 작은 의혹도 남게 하지 않는 것이
	어떨까 싶습니다.
김태호	수사를 하겠다... 타살 가능성을 염두에 두고.
아라	검사라면 그 어떤 의심도 남겨선 안 된다.
	부장님이 저와 진 검사한테 하신 말씀입니다.
김태호	(고심하는)
아라	이장원 차장 사건 수사 허락해 주십쇼 부장님.
김태호	(결심한 듯) 그렇게 해.
아라	...!!
김태호	어떤 결과가 나오든 내가 책임진다.
	니들은 철저하게 수사에만 집중해. 차장님을 위해.
아라	예.

S#10 탑골공원 (낮)

구경하는 노인들 여럿 사이,
등산복 차림으로 노인1과 장기를 두고 있는 현규.

노인1	(딱! 소리 나게 한 수 두며) 장이여!

현규	(끄응... 표정)
노인1	이를 어째 서 씨? 오늘은 내가 이긴 거 같은데.

"서 씨도 이제 안 되는구만." "지는 해여 지는 해."
측은히 현규 보는 노인들.
고심하며 장기판 바라보는 현규.
그때 구경꾼들 사이에서 모습을 드러내는 누군가,
지한이다.

지한	아버지.
현규	왔어?

모두의 시선이 지한에게 쏠린 사이,
장기판 밑에 깔려 있던 소주 박스 발로 툭 차는 현규.
장기판이 엎어진다.

노인1	!!
노인2	뭐여 이거? 나가리여?
노인3	서 씨가 아직 돌을 안 던졌잖여! 근데 이럼 나가리지!
현규	아이고 이걸 어떡하나 참...
	(노인1 보는) 오늘은 비긴 걸로.

S#11   **탑골공원 일각 [낮]**

산책하듯 천천히 걸음 옮기는 현규.

그 옆을 함께 걷고 있는 지한.

지한   신용운 대법관한테 연락 왔어요 아버지.

             아버지를 꼭 뵙고 싶다고.

현규   걔가 갑자기 왜?

지한   식당 종업원 성폭행이요.

             여자가 고소했고 관할 서에서 내사 중이에요.

현규   나 참 노인네 힘도 좋다,

             뭘 먹었길래 그렇게 힘이 난대 걔는?

지한   (미소 짓고)

현규   그 양반 임기가 얼마 남았지?

지한   3개월 정도?

현규   말년에 뭔 욕심 부리겠다고 없던 일로 만들어 달래.

             일 없으니까 됐어. 전화도 받지 마.

지한   예.

현규   법무부 임 장관이 중앙 지검장으로

             다른 놈을 생각하고 있는 거 같아.

지한   (살짝 놀란) 아버지한테 연락도 없이요?

현규   니가 임 장관이 한번 만나 봐.

             (재밌다는 듯 미소) 자식이 오냐오냐해 주니까…

             대가리가 너무 커졌다.

S#12   **민원봉사 사무실 (낮)**

코코를 산책시키고 안으로 들어오는 박재경.

철기	오셨습니까.
박재경	...한 놈 어디 갔어.
철기	(어색한 연기) 예? 누구?
박재경	누구긴 누구야 니 주인 있잖아. 진검 어디 갔냐고.
철기	(어색한 연기) 어? 그러고 보니 어디 가셨지?
	방금 전까지 계셨던 거 같은데?
박재경	가지가지 한다 가지가지 해.
	됐어 인마. (핸드폰 전화 거는)

S#13   **법조 타워 보안실 (낮)**

보안직원과 함께 CCTV를 확인하고 있는 정과 아라.
CCTV 화면,
엘리베이터에 타 있는 이장원의 모습이 보이고.
정의 핸드폰 진동이 울린다.
정 보면, **'박재경 실장'**에게 온 전화다.
망설임 없이 통화 거절 누르는 정.

아라	그래도 돼?
정	백번 혼나나 백한 번 혼나나.
	(보안에게, 초조한) 다음 넘겨보세요.

다음 화면 넘어가면, 사무실 복도,
자신의 사무실로 걸음 옮기는 이장원의 뒷모습.
화면을 빠르게 돌리는 보안.

이장원이 들어간 후 긴 시간 동안 비어 있는 복도.

보안   (화면 속도 정상으로 바꾸곤) 이다음 저희도 계속 확인해 봤는데
들어간 건 이분 혼자입니다.

정   (낭패스럽고)

자리에서 일어서는 정.
밖으로 나가다 미련 남은 듯 다시 CCTV 화면 보면,
지금까지 이장원의 사무실 쪽을 보여 주고 있던 화면,
갑자기 반대쪽 복도를 보여 주기 시작한다.

정   (??, CCTV 화면 보는) 잠깐 스톱.
(화면 가리키는) 갑자기 앵글이 왜 바뀐 겁니까?
보안   그야 당연히 카메라가 돌아갔으니까요.
정   카메라가 돌아가요?
보안   복도에 설치된 건 회전형 CCTV입니다.
복도 가운데서 반대 양쪽 둘 다 볼 수 있게,
5분마다요.
정   (표정에서)

S#14   **법조 타워 복도 (낮)**

복도 CCTV 카메라를 바라보며 서 있는 정.
카메라가 비추고 있는 방향 따라 고개 돌려 보면,

저 멀리 보이는 이장원의 사무실.

그리고 정의 상상으로 보이는...

엘리베이터에서 내려 사무실 향해 걸어가는 이장원.

다시 CCTV 카메라를 보는 정. 카메라,

사무실 반대쪽을 비추고 있다.

정 다시 사무실 바라보면,

근처 비상구에서 걸어 나오는 상상 속 범인,

이장원이 있는 사무실 안으로 들어가고.

여전히 카메라는 반대쪽을 비추고 있다.

다시 밖으로 나와 비상구로 들어가는 범인.

그 모습 물끄러미 바라보는 정.

S#15   **법조 타워 비상구 계단 (낮)**

상상 속 범인의 뒷모습을 따라 계단을 내려가는 정.

아라(소리)   각 층 복도 CCTV 확인했어.

차장님 사망 이후 비상구 출입 인원 없음.

10층, 9층, 8층...

상상 속 범인을 따라 계속해서 계단을 내려가는 정.

S#16   **법조 타워 지하실 (낮)**

보일러실과 기계실, 전기실이 자리한

어두컴컴한 지하실 복도.
비상구 문 열고 안으로 들어서는 정.
주위 둘러보면, 천장 구석에 붙어 있는 CCTV 카메라.

(경과)
정에게 자신의 핸드폰을 보여 주는 아라.
지하실 CCTV 화면,
걸음 옮기는 누군가(태 실장)의 뒷모습이 찍혀 있다.

아라	이 길 따라 나가면 지하 주차장이야.
정	그쪽 CCTV는요? 차량 블랙박스라도.
아라	(고개 젓는) 아무것도. 아직 건물이 입주 전이라.
정	(CCTV 화면 속 누군가의 뒷모습을 바라보는)
아라	이 사람이 차장님을… (정 보는)
정	일단 속으로만 생각하죠. 아직 확실한 건 없으니까.

그때 진동 울리는 아라의 핸드폰.
전화 받는 아라.

아라	예 수사관님. …예 알겠어요.
	(끊고) 영장 판사 부재중이래.
	차장님 통화 내역 시간 좀 걸릴 거 같아.
정	법대로 하려 하면 뭐 하나 법이 날 도와주질 않네.
	(핸드폰 전화 거는) 나야, 통화 내역 하나 따자.

S#17   **중도의 가게 (낮)**

부러진 카메라와 렌즈
강력 본드로 붙이고 있는 중도.
한쪽에선 은지가 컴퓨터에 붙어 있는 부품들
힘으로 뜯어내고 있고.

중도   (어깨에 핸드폰 기댄 채 통화 중인) 갑자기?

S#18   **법조 타워 지하실 (낮)**

정   번호 문자 찍어 줄게.
       지금 출발할 거니까 바로 볼 수 있게 해 놔.
       (핸드폰 끊는, 아라 보면)
아라   (인정하긴 싫지만 또 어쩔 수도 없는) 가자.

먼저 걸음 옮기는 아라.
그런 아라 보며 피식 미소 짓는 정.

S#19   **중도의 가게 (낮)**

이장원의 통화 내역을 살펴보고 있는 정과 아라.
한쪽엔 중도와 은지가 서 있고.
정 손가락으로 번호 훑어 내려가다가 멈칫,
핸드폰 명의자와 번호를 본다.

'010-XXXX-OOOO.' '명의자 한수빈.'
어디서 많이 본 이름과 번호다.
지긋이 핸드폰 번호 바라보는 정.

아라   이 사람은 왜?

정 바라보고 또 바라보다가,
생각났다.
고개 드는 정의 표정에서.

S#20   **검찰청 자료 보관실 (낮)**

종결된 사건들만 모아 보관하고 있는 책장.
책장에서 서류철 하나를 빼 드는 정.
표지 보면, **'서초동 박예영 폭행 및 살인사건.'**
날카로운 눈빛으로 서류 넘기면,
참고인 경찰 조서가 나온다.
피해자 박예영의 친구가 쓴 경찰 조서.
조서 말미엔 친구의 이름과 핸드폰 번호가 적혀 있다.
품에서 이장원의 통화 내역서를 꺼내는 정.
똑같은 이름과 똑같은 번호다.
이장원 차장이 서초동 살인사건 참고인을 왜...?
의문스러운 정의 표정에서.

S#21   **카페 (낮)**

박예영의 친구(20대 여)와 마주 앉아 있는 정.

친구   (이장원의 사진 보다가) 예 연락 왔었어요.
       예영이 그렇게 되고 얼마 안 있다가,
       물어볼 게 좀 있다고.
정   물어볼 거요?

S#22   **회상, 이장원의 차 안 (밤)**

차 안에 앉아 있는 이장원과 친구. 그 위로

친구(소리)   특별한 건 없었어요.
            예영이 그렇게 되기 전에 무슨 얘기 들은 거 없냐,
            걔한테 혹시 뭐 받은 거 있냐 그 정도?

       **이장원의 차 안,
       한수빈에게 MP3를 건네받는 이장원,
       안도의 한숨 내쉬고.**
       (위 볼드체 지문은 9화에 인서트로 나올 내용입니다.
       씬 촬영 때 같이 촬영해 주시면 감사하겠습니다.)

S#23   **카페 (낮)**

정   박예영 씨한테 받은 거라면 어떤...?
친구   주로 아저씨가 사준 것들? 백 구두 향수...

　　　　　　　사실 예영인 마음에 안 들어 했거든요.

정　　　　　(커피 마시는)

친구　　　　그래서 아저씨한테 연락 왔을 때 저 진짜 깜짝 놀랐잖아요.

　　　　　　　자기가 예영이 준 거 다 갖고 오라 하면 어떡하나 해서.

　　　　　　　야옹이랑도 정 엄청 많이 들었는데.

정　　　　　(멈칫, 친구 보는)

친구　　　　다행히 다시 달란 소린 안 하더라고요.

　　　　　　　근데 그거 진짜 맞아요?

　　　　　　　아저씨가 예영이 죽인 범인... (하는데)

정　　　　　잠시만요. 야옹이면, 박예영 씨 고양이요?

한수빈　　　네, 맞아요.

◀　　　　　**플래시백**

　　　　　　　박예영 집에서 고양이 스크래처와 털을 바라보다

　　　　　　　주위를 둘러보는 정.

정　　　　　고양이가 지금 어디 있는데요?

한수빈　　　저희 집에요.

　　　　　　　예영이 그렇게 되기 얼마 전에 분양 받았어요.

　　　　　　　한수빈은 핸드폰에서 고양이 사진을 보여 준다.

　　　　　　　고양이 사진을 몇 장 넘기는 정.

　　　　　　　마지막 사진에서 뭔가를 발견한 정.

정　　　　　(사진 보여 주며) 고양이 옆. 이건... 뭐죠?

한수빈	(사진을 보더니) 아, 이거요. MP3요.
정	MP3요?
한수빈	캣 타워 맨 위에 고양이 집이 있는데 그 안에 있었나 봐요.
	언제 보니까 그걸 씹고 있더라고요.
정	혹시 이것도 갖고 계세요?
한수빈	그건 아저씨 드렸는데?
정	네?
한수빈	아저씨한테도 사진들 보여 드렸거든요.
	찾는 게 그거라 하더라고요.

다시 한번 핸드폰의 사진을 쳐다보는 정.
구형 MP3 기기가 고양이 옆에 보인다.

S#24   **국과수 부검실, 카페 밖 교차 (낮)**

철제 테이블 위에 올라와 있는 이장원의 시신.
한쪽에선 아라가 핸드폰 통화 중이고.

아라	MP3?

카페 밖, 핸드폰 통화 중인 정.

정	차장님 유품 중에서요. 나온 거 있어요?
아라	(들고 있던 **'이장원 차장 자살 사건'** 서류 보는, 보다가) 없어.
정	없다고요?

아라	그렇다니까. 근데 그건 갑자기 왜?
정	서초동 살인사건을 따로 조사하고 있었어요. 이장원 차장.
아라	(표정 심각해지는) 차장님 죽음이 서초동이랑 연관되어 있단 거야?
정	그럴 가능성이 커요. 아직은 확신할 순 없지만.
아라	방금 니가 말한 MP3. 그것도 지금 사건들이랑 관계되어 있을 수 있겠네. 어떻게 엮였는진 우리가 풀어야 될 숙제고.
정	차장님이 찾은 거라면 중요한 물건임은 분명해요. 문제는 그게 어딨는지 모른다는 건데...
아라	(표정)
정	...그쪽은요?

이장원의 시신을 이곳저곳 살펴보기 시작하는 아라.

아라	두개골 파열. 머리부터 허리까지 동일한 멍과 출혈이 있어.
정	머리부터 수직으로 떨어진 게 아니다?
아라	상체와 하체가 같이 떨어졌어. 지면과 평행 된 상태에서.
정	자기가 누워서 떨어졌을 리는 없고, 스스로 떨어진 게 아닐 수도 있겠네요. 다른 정황은요?
아라	(상체 겨드랑이 쪽 보는) 겨드랑이 부근에 멍. 이건 누가 차장님을 죽기 전 이동시켰다는 흔적이고...
정	(표정)

+	인서트

이장원 변호사 사무실,
기절한 이장원을 창문으로 끌고 가는 누군가(태 실장)

아라	(목 부위 주삿바늘 자국을 보곤 멈칫)
정	선배?
아라	목에 뭔가에 찔린 자국이 있어. 주삿바늘 같은.
정	(표정 심각해지는) 차장님한테 뭔가를 투입했다?
아라	글쎄? 부검을 해 봐야 알 수 있겠지?

안으로 들어오는 부검의(40대 남)와 조수.
이장원의 시신 곁으로 다가온다.

아라	(부검의에게) 시작하세요. (밖으로 걸음 옮기는)
정	(핸드폰 내리는, 심각한 표정에서)

S#25   **호텔 카페 (밤)**

마주 앉아 차를 마시고 있는 지한과 임윤철.

지한	차기 중앙 지검장 인사, 다시 생각해 주시면 감사하겠습니다.
임윤철	(난감한 얼굴로 작게 한숨 내쉬는)
지한	(서류 봉투 임윤철에게 밀어 주는) 저희 쪽에서 준비한 중앙 지검장 후보입니다.
임윤철	(봉투 열어 이력서 보는, 어렵다는 듯) 글쎄요...

	대표님 뜻은 알겠습니다만 이번 검찰 인사엔
	윗분의 의지가 워낙에 강한지라...
	이번엔 대표님 점지가 어려울 듯해요.
	조만간 제가 대표님 찾아뵙고 양해 구할 테니까... (하는데)
지한	(미소) 대가리만 커진 게 아니었네.
	간도 커지셨네 우리 장관님.
임윤철	(지한의 무례함이 기분 나쁜) 아무리 대표님 영식이라도
	예의는 지켜줬으면 하는데.
	내가 대표님을 모시는 거지
	서 변호사를 모시는 건 아니잖아?
지한	아버지 건 다 내 건데.
임윤철	(표정 서늘해지는)
지한	(건성으로) 일단 알겠습니다 제가 죄송하고요,
	지검장 인사는 어쨌든 이 사람으로. 따님 살리셔야지.
임윤철	...!!
지한	급성 골수성 백혈병. 형제자매 없고 따님 외동이시고.
	2만 분의 1 맞죠?
	가족 아니더라도 맞는 경우가.
임윤철	(지한 노려보는) 협박하는 겁니까?
지한	아뇨 아뇨 그럴 리가. 제안을 드리는 겁니다.
	따님 골수이식 기증자 제가 데리고 있거든.

지한을 노려보는 임윤철.
그때 진동 울리는 임윤철의 핸드폰.
임윤철 보면, **'사랑하는 딸'**에게 온 전화다.

지한	받으세요. 세상에 하나뿐인 따님이시잖아.
	(미소로 차 마시는데)
임윤철	큰 실수를 저지르시네. 우리 서 변호사님이.
지한	(멈칫, 임윤철 보는)
임윤철	(지한 노려보며 전화 받는) 응 딸, 기증자한테 편지는 다 썼어?
지한	...!!
임윤철	이제 골수이식 처치 들어가는 거야?
	괜찮을 거야 너무 걱정하지 마.
	아빠가 이따가 응원 갈게.
	(끊는, 지한 노려보며) 가서 대표님한테 전해.
	이런 식이면 일 같이 못 한다고.

지한에게 서류 봉투 내던지곤 밖으로 나가는 임윤철.
골치 아프게 됐다. 이마 긁적이는 지한.

S#26   국과수 앞 (밤)

멈춰 서는 정의 차. 차에서 내리는 정.
국과수 앞에 서 있는 아라에게 다가간다.
함께 안으로 들어가는 두 사람.

S#27   국과수 연구실 (밤)

정에게 부검 소견서를 건네는 부검의.
긴장한 얼굴로 소견서 페이지를 넘기는 정.

'후두부와 경추에 심각한 동시 다발성 손상.',
'추락에 의한 사망.'
계속 소견서를 읽어 내려가는 정.
어느 순간 멈칫, 표정 얼어붙는다.
'타인에 의한 손상이나 마취 등의 흔적 없음.'
'타살의 가능성 전무.'
'사인: 투신자살.'

아라	!!
정	!! 이거... 확실한 겁니까?
부검의	보시는 그대로입니다.
정	(전혀 예상치 못한 결과다, 충격으로 아무 말 못 하는)
아라	겨드랑이에 피멍이 있었습니다.
	이건 차장님 사망 전 누군가 차장님을
	옮겼단 흔적 아닌가요?
부검의	양쪽 겨드랑이에 보이는 건 피멍이 아니라 시반입니다.
	목 부위 주삿바늘 흔적도 약물 감정 보시면 아시겠지만,
	경추 경막외 신경주사 흔적이고요.
아라	(정 보는)
정	(얼어붙은 표정에서)

S#28   **몽타주**

/ 검찰청 대회의실 (밤)
비어 있는 상석.

자리에 앉아 부장검사들과 회의를 하고 있는 김태호.
김태호의 핸드폰 문자 알림 진동이 울린다.
문자를 확인하는 김태호.

앵커(소리)   숨진 채 발견된 중앙 지검 이장원 차장검사에 대한
국립 과학 수사 연구원의 부검 결과
타살 혐의점이 없다는 소견이 나왔습니다.

김태호   (비어 있는 상석 바라보는)

/ 도환의 사무실 [밤]
자리에 앉아 인사 발령서를 보고 있는 도환.
'중앙 지검 형사3부 검사 오도환 - 기록관리과 발령'.
서늘한 얼굴로 인사 발령서를 구겨 버리는 도환.

앵커(소리)   국과수의 부검 결과를 존중한다 밝힌 검찰은
현재까지 고인의 행적 조사 결과 또한
타살 혐의점은 없다 판단,

/ 민원봉사 사무실 [밤]
사료 먹고 있는 코코를 쓰다듬어 주고 있는 박재경.

앵커(소리)   유가족에게 깊은 애도와 위로의 뜻을 전한다며
이 차장검사 사건을 자살로 종결짓고
수사를 마무리하겠다...

박재경   (비어 있는 정 자리 바라보고)

S#29   **포장마차 (밤)**

자리에 앉아 소주를 마시고 있는 정. 무거운 표정.
잠시 후 정의 맞은편에 앉는 한 사람, 아라다.

아라   여기 잔 하나 더 주세요.
아주머니   (아라 앞에 잔과 젓가락 갖다주고)
정   (쓸쓸히 소주 마시는)
아라   (쓸쓸히 정 보다가) 차장님 내일 발인이래. 가서 조문 드려.
정   차장님은 왜 절 부른 걸까요.

◀   **플래시백**
          4화 1씬
          운전 중인 정. 그 위로 들리는 이장원의 목소리.
이장원(소리) 자네한테 할 얘기가 많아.
          자네가 꼭 들어야만 하는 얘기기도 하고.

정   (소주 마시는, 도저히 지금 상황을 납득할 수가 없고)
아라   아무리 우리가 맞다 생각한 일도... 가끔은 틀릴 때가 있어.
          소견서가 자살이라 나왔어 진 검사.
          아무리 납득이 안 된다 해도 이게 현실이야.
정   (고개 젓는)
아라   더 이상은 수사 밀고 나갈 명분도 없어.
          회사에서도 입장 정리 끝낸 거 같고
          우리도 여기까지... (하는데)

정	아뇨. 이렇게 끝내는 건 아니에요.
아라	(보는)
정	저 이대로 못 끝냅니다.
	납득이 안 되는 걸
	현실이란 이유만으로 받아들일 순 없어요.
아라	자살이란 증거가 명백해. 너 이거 고집이야.
정	...서초동 사건 때도 이랬죠.
아라	...!!
정	모든 증거가 택배기사 김효준을
	20대 여성 살인마라 가리켰어요.
	(아라 보는) 근데 걔 범인 아니잖아.
아라	(표정)
정	진실이랑 현실은 달라요 선배. 타살 증거 찾을 겁니다.
아라	(보다가, 자기도 답답한) 그래 니 말대로
	우리가 아직 찾지 못한 뭐가 있다 치자.
	국과수 부검 소견서에 버금갈 만큼 확실한 뭔가.
정	(보는)
아라	근데 그게 뭔데, 뭘 어떻게 찾을 건데.
	당장 내일 사건 자살로 종결될 건데
	언제 어느 세월에 뭔지도 모를 그걸 찾겠다는 건데?
정	(일어서서) 지금부터.

밖으로 걸음 옮기는 정.
그런 정을 바라보는 아라의 표정에서.

S#30   **종합병원 앞 (밤)**

입구 앞에 멈춰 서는 낡은 승용차.
태 실장 뒷문 열어 주면, 차에서 내리는 현규.
병원 안으로 들어간다.

S#31   **종합병원 무균실 탈의실 (밤)**

비닐 옷과 비닐 모자등
무균실 면회 옷차림을 하고 있는 임윤철.
그때, 벌컥 문 열고 안으로 들어오는 현규와 태 실장.
태 실장은 손에 서류 봉투 들고 있고.

임윤철   !! 대표님.

다가가 그대로 임윤철의 뺨을 날리는 현규. 짝-!
황망한 얼굴로 현규를 바라보는 임윤철.

임윤철   왜, 왜 이러십니까.
            여긴 들어오시면 안 되는... (하는데)

확 임윤철의 머리채를 붙잡는 현규.
계속해서 뺨을 날린다. 짝-! 짝-!
어느 순간 보면, 혼절하기 일보 직전의 임윤철.
코에선 코피가 주르륵 흐르고.

현규	(임윤철 노려보며, 태 실장에게)
	이놈 딸내미 뼛골 준다는 놈 찾아.
임윤철	!!
현규	원하는 건 다 들어주고 병원 오지 말라 그래.
임윤철	아, 안 됩니다 대표님. 지금 이식 철회하면 저희 딸...
	이미 처치 다 들어가서 골수 다 죽여 놨는데 안 됩니다,
	절대 안 됩니다!
현규	안 되는 게 어딨어 하면 되는 거지.
	장례식 때 봅시다. (나가는데)
임윤철	잠깐, 잠깐만요!!
	(현규 앞에 무릎 꿇는) 죄송합니다 대표님 한 번만
	용서해 주십쇼!
현규	(서늘히 임윤철 보는)
임윤철	앞으로 시키시는 건 뭐든, 뭐든 다 하겠습니다!
	(울먹이는) 그러니까 제발 저희 딸만큼은...
	채린이만큼은 제발...
현규	(아이고 참... 마음 약해지는, 태 실장 보면)
태 실장	(현규에게 서류 봉투 건네고)
현규	간곡하게 경고 드릴게요 장관님. 나한테 개기지 마.
	누구의 의지가 뭐가 중요해 내 의지가 중요하지.
	(서류 봉투 내미는)
임윤철	(공손히 받드는)
현규	딸내미 데리고 회사 한번 놀러 와요.
	맛있는 거 사 줄게.

S#32 **민원봉사 사무실 (밤)**

집중해 **'이장원 차장 자살 사건'** 서류를 보고 있는 정.
잠시 후 안으로 들어오는 누군가, 박재경이다.

박재경 (정을 발견하곤 멈칫, 잠시 보다가) 집에 안 가냐?

(경과)
가운데 테이블에 앉아 사건 서류 보고 있는 정.
정의 앞에 컵라면을 놔 주는 박재경,
정의 맞은편에 자리하고.

박재경 먹어. 야식엔 이거만 한 거 없다.
정   잘 먹겠습니다. (라면 먹으며 사건 서류 보는)
박재경 (정 보다가) 너무 열심히 하지 마라.
정   (멈칫, 박재경 보는)
박재경 막말로 니가 이럴 필요가 뭐 있냐.
       차장님 원수 복수 이런 것도 아니잖아.
정   (보는데)
박재경 남들처럼 살아 편하게.
       아등바등해 봤자 변하는 거 아무것도 없다.
정   꼭 열심히 살아보신 거처럼 얘기하시네요.
       실장님이 과거에 어떤 사람이었는진 전 관심 없습니다.
       중요한 건 제 앞에 앉아 있는 실장님의 모습이니까요.
박재경 (정 보는)

정	전 지금 실장님 모습 본받을 생각 꿈에도 없습니다.
	그러니까 저한테 설교하지 마세요 어차피 안 들을 거니까.
박재경	(피식) 이해가 안 되네. 왜 이렇게까지 하는 거냐?
정	...아무도 안 하니까.
박재경	(보는, 표정)
정	잘 먹었습니다. (자리에서 일어서는데)
박재경	일어선 김에.
	(각종 전단지와 잡지 모아놓은 핸드카트 가리키는) 갖다 버려.

S#33   쓰레기 집하장 (밤)

집하장 안 마대 안에 전단지와 잡지 버리고 있는 정.

정	하여튼 꼭 사람을 부려 먹어요.
	어떻게 저런 사람이 검사가 됐지?

문득 눈에 띄는 잡지 사이 종이 한 장.
정 보면, 신문 기사를 인쇄한 종이다.
'국정원, '파란 소나타 사건' 자살로 결론.'
무심히 잡지들과 함께 종이 버리는 정.
뒤돌아 걸음 옮기다 멈칫,
갑자기 마대 안을 뒤지기 시작한다.
방금 버린 종이를 집어 드는 정. 유심히 기사 보면,
'국정원, '파란 소나타 사건' 자살로 결론.'
'유가족 국과수 부검 결과 못 믿어.'

'정재훈 부검의 부검 조작 논란.'

S#34   민원봉사 사무실 (밤)

종이를 든 채 급히 안으로 들어오는 정.
책상 위 **'이장원 차장 자살 사건'**을 펴 본다.
부검 소견서를 보면, **'담당 부검의: 정재훈.'**
기사 속 부검의 이름과 소견서 속 이름을 비교해 본다.
같은 이름이다.
간이침대에서 자고 있는 박재경.
그런 박재경 잠시 바라보다 밖으로 뛰어나가는 정.
슬쩍 눈 뜨고 힐끔 정 보는 박재경. 옅게 웃음 짓고.

S#35   김태호 부장검사실 (밤)

옷걸이에 걸린 재킷을 집어 드는 김태호.
그때 똑똑 노크 소리.
잠시 후 안으로 들어오는 한 사람, 도환이다.

김태호   (무심히 일별하곤, 퇴근 준비하며)
         우리가 만날 약속을 잡았었나?
도환   (김태호 앞에 걸어와, 꾸벅 고개 숙이는)
김태호   오 검사 이런 캐릭터였어? 의외네. (가방 챙기는)
도환   충성을 다해 모시겠습니다. 인사 발령 거두어 주십쇼.
김태호   내가 왜?

도환	(고개 숙인 채 서 있고)
김태호	차장님의 칼이 되어 날 죽이려 했던 널... 내가 왜?
도환	쓸 만하실 겁니다. 부장님의 칼이 되겠습니다.
김태호	말로는 뭔들 못할까. (나가려 하는데)
도환	(김태호 앞에 무릎 꿇는) 뭐든지 다 하겠습니다.
김태호	뭐든지 다 하겠다...
	니가 그 말의 무게를 모르는 건 아닐 테고...
도환	(기대감 어린) 약속드리겠습니다.
	반드시 은혜에 보답 드리겠습니다.
김태호	오 검사 니 능력이야 나도 높이 사고 있고...
	구미가 당기긴 하네.
	(미소로) 근데 와 닿진 않아.
	(도환 어깨 두드리곤 밖으로 나가는)
도환	(참담하고)

S#36   **장례식장 주차장 (낮)**

차에서 내리는 정.
무거운 얼굴로 앞을 보면, 장례식장 앞이다.

S#37   **장례식장 빈소 앞 (낮)**

이장원의 빈소 앞에 서는 정.
부의함으로 다가가다 문득 인기척 느끼고 보면,
이장원의 손녀 예지가 서 있다.

정	(예지와 눈높이 맞추는) 몇 살이야?
예지	여섯 살이요.
정	많이 어리네.
예지	(발끈) 아니에요 안 어려요.
	할아버진 나 유치원 간다고 다 컸다 했어요.
정	(미소로 예지 바라보는)
예지	(조심스레) 아저씨 우리 할아버지 알아요?
정	음... 아는 줄 알았는데,
	모르는 게 많네. (예지 머리 쓰다듬어 주는)
예지	그럼... 우리 할아버지 언제 오는지 몰라요?
정	(보는)
예지	할아버지가 그랬거든요, 예지 생일 때 꼭 오겠다고.
	낚시 카페도 가고
	노래 듣는 거 줄 없는 거 사 주기로 했어요.
	근데 할아버지 예지 전화 안 받아.
	사람들 막 사진에다 절하고. 아저씨 왜 그런지 알아요?
정	(아픈 미소로 예지 바라보는데)
이나영	(정에게 다가와, 차가운) 무슨 일이시죠?
정	(이나영 바라보는 데서)

S#38 장례식장 일각 (낮)

인적 없는 곳. 서 있는 정과 이나영.

이나영	(차가운) 재부검을 하고 싶다고요.

정	부탁드립니다.
이나영	진짜 웃긴 사람이다 당신.
	당신 때문에 우리 아버지가 죽었어.
	무릎 꿇고 사죄를 해도 모자랄 판에 뭐? 재부검?
정	(이나영 보는)
이나영	아버지 보내는 마지막 날이에요.
	조문은 받은 걸로 치죠. (뒤도는데)
정	차장님 부검 소견서, 조작의 가능성이 있습니다.
이나영	!!
정	그 밖에도 자살이라 단정하기엔...
	수상한 점이 너무 많습니다.
	재부검이 쉽지 않은 결정이란 건 알고 있습니다.
	하지만 적어도 망자가 남긴 마지막 말만큼은,
	어떠한 거짓도 없이 제대로 들어야 한다.
	전 그렇게 믿고 있습니다.
이나영	(표정)
정	모든 게 저 때문이라 생각하셔도 좋습니다.
	진실을 피하지만 말아 주십쇼. 부탁드립니다.

간절한 마음으로 고개 숙이는 정.
그런 정을 흔들리는 얼굴로 바라보는 이나영.

S#39   **아라의 사무실, 장례식장 밖 일각 교차 (낮)**

자리에 앉아 핸드폰 통화 중인 아라.

아라	(놀란) 국과수가?
정	(걸음 옮기며 핸드폰 통화하는)
	선배 이 사건 그냥 사건 아니에요.
	분명 뒤에 뭔가 더 큰 게 있어요.
아라	(심각한 표정)
정	좀 있으면 발인이고 시간 없어요 선배.
	유가족한테 허락은 받았어요.
	일단 선밴 영장부터 신청해 주세요.
아라	넌?
정	다시 부검해야죠. 이번엔 아무도 방해 못하게.
아라	부검을 몰래 하겠다는 거야?
정	(차마 말하기 뭣하고...)
아라	(불길한) 여보세요?
	진정 너 설마 또 이상한 짓 꾸미는...
	(끊겼다) 맞네 이상한 짓.

S#40   시신 안치실 복도 (낮)

안치실에서 나오는 직원.
문 닫으려는 그때,
저쪽에서 관 이동시키며 다가오는 두 사람,
장의사 복장을 한 철기와 은지다.

철기	실례합니다. (직원 스쳐 지나가는데)
직원	잠시만요.

철기, 은지	(멈칫)
직원	처음 보는 분들인데 누구신지?
철기	서린 병원 장례식장에서 왔습니다.
	그쪽 안치실이 꽉 차는 바람에.
은지	연락 못 받으셨나 보네.
직원	(뭔가 수상쩍은) 관 한 번만 열어 주시죠.
철기	(긴장하는)
직원	간단한 확인 절차입니다. 협조 부탁드립니다.

관을 열기 시작하는 직원.
그 모습 긴장한 채 바라보는 철기와 은지.
이윽고 관이 열린다. 직원 보면,
삼베 수의를 입고 죽은 듯 누워 있는 중도...!

S#41   시신 안치실 (낮)

관을 이동시키며 안으로 들어오는 철기와 은지.
은지, 관을 열면,
그제야 참았던 숨 토해내며 일어서는 중도.
철기 냉장고 트레이를 빼면,
입관식을 끝낸 이장원의 관이 나온다.
갖고 온 관에 이장원의 시신을 옮겨 싣는 철기와 중도.

은지	(관 덮곤) 가자.
중도	잠깐. 난 어떡해?

철기와 은지, 중도 보면,
수의를 입은 채 멀뚱히 서 있는 중도…

은지   (철기에게 작게) 진검한테 못 들었어?

철기   작전을 급하게 짜느라… (힐끔 중도 보는)

          까먹은 거 같습니다.

중도   (불안한) 뭐야 둘이 뭐야. 나 어떡하냐니까?

난감한 얼굴로 아무 말 못 하는 철기와 은지.
그때 밖에서 들리는 노크 소리.

직원(소리) 시간 너무 오래 걸리는 거 같은데, 들어가도 되겠습니까?

은지   (안 되겠다, 이장원의 관 가리키는) 들어가.

중도   !! 뭐?

은지   다 죽고 싶어? 들어가.

중도   (느낌 불길한) 어… 아냐 이건 아닌 거 같애.

          이거 또 왠지 나만 개고생할 거 같은…

중도의 말이 끝나기도 전에
세차게 뒤돌려 차기를 날리는 은지.
픽-! 기절한 채 스르르 관속으로 쓰러지는 중도.

S#42   **의과대학 전경 (낮)**

장 교수(소리) 이건 좀 아니지 않냐?

S#43 　　　　해부학과 장 교수 연구실 (낮)

어이없는 표정으로 앉아 있는 장 교수(50대 여).
그 앞엔 정이 서 있다.
한쪽엔 철기가 서 있고.

장 교수　　　너 엉뚱한 거야 로스쿨 때부터 알아보긴 했는데...
　　　　　　아니 무슨 해부학과에 부검을 맡겨 그것도 재부검을.
정　　　　　국과수는 사정이 좀 있어요 교수님.
　　　　　　어차피 부검 영장 갖고 올 거니까 먼저 부탁드릴게요.
장 교수　　　안 돼. 영장부터 갖고 와.
정　　　　　나도 그러고 싶은데 빨리 해야 되는 그런 게 있어 그래요.
　　　　　　한번만, 딱 한번만 예?
장 교수　　　공문 보내고 절차 밟아 오세요. 그 전엔 안 돼.
정　　　　　와 뭐지 이건? 갑자기 교수님한테 굉장한 벽이 느껴지네?
　　　　　　완벽.
철기　　　　!! (화들짝 놀라 정 보는)
장 교수　　　(기가 찬) 뭐?
정　　　　　아니 그렇잖아, 교수님 이러시면 난 벽을 느낄 수밖에 없지.
　　　　　　당신이란 존재의 완벽함을.
장 교수　　　(정색하며 정 바라보고)
철기　　　　검사님, 무리수입니다.
　　　　　　이건 제가 들어도 용서가 안 되는... (하는데)
장 교수　　　(깔깔 웃음 터트리는)
철기　　　　!! (경악해 장 교수 바라보고)

장 교수	(웃으며) 뭐야 그게. 진검 너 아재였어?
정	못 될 것도 없죠. 교수님을 위해서라면.
장 교수	못 살아 진짜... 이번만이야?

S#44　의과대학 복도 (낮)

밖을 향해 걸어가는 정과 철기.

철기	아무리 생각해도 이해가 안 됩니다.
정	뭐가?
철기	교수님 말입니다. 어떻게 그런 개그에 웃을 수 있는 건지.
정	명심해라 철기야.
	여자 마음을 얻을 땐 멘트가 중요한 게 아니다.
	누가 멘트를 날리냐가 중요한 거지.
	(거만한) 그런 면에서 난, 타고난 메신저가 아닐까 그런 생각?

S#45　장례식장 빈소 (낮)

테이블 비닐 보를 치우고 청소를 하는 등
빈소를 정리하는 분위기.
발인을 나가기 위해 이장원의 영정사진을 드는 이나영.
그 위로

정(소리)	발인은 예정대로 진행해 주십쇼.

S#46   회상, 장례식장 일각 (낮)

38씬 연결.

이나영   발인을 나가면 부검은 어떻게...?
정   부검은 진행될 겁니다. 발인식엔... 빈 관이 나갈 거고요.
이나영   ...!!
정   죄송합니다.
          보안 유지가 중요한 거라 생각나는 방법이 이거밖에 없네요.
          끝나는 대로 바로 모셔 가겠습니다.
          그때까진 최대한 사람들이 모르게... (이나영 보는)
이나영   걱정 마세요.

S#47   **의과대학 밖 (낮)**

          밖으로 나오는 정과 철기.
          운구차 앞에선 은지가 기다리고 있고.

정   마무리되는 대로 유가족한테 인도할 거야. 준비하고 있어.
철기   예.
정   다들 고생했어. 밥 먹으러 가자.
철기   맛집 알아보겠습니다. (핸드폰 검색하는)
은지   나도. (같이 핸드폰 보고)
정   ...근데, 고중도는?
철기   (화들짝) !!
은지   아 맞다.

S#48   **장례식장 밖 (낮)**

이장원의 영정사진을 든 채 걸어 나오는 이나영.
그 뒤를 따라 유가족과 조문객들이 관을 들고 나온다.
관을 운구차에 싣는 사람들.
관 속에 중도는 기절한 채 누워 있고.
운구차 문이 닫힌다. 부웅 출발하는 운구차.

S#49   **김태호 부장검사실 (낮)**

자리에 앉아 있는 김태호. 그 앞엔 아라가 서 있고.

김태호   (심각한) 상황은 알겠어. 진 검사는?
아라   일단은 이장원 차장 사건에 집중하고 있습니다.
           해서 현재 진 검사가 유가족을 설득,
           재부검을 진행하고 있고요.
           (서류 내미는) 결재 부탁드립니다 부장님.

           김태호 보면, 부검 영장 청구서다.
           잠시 청구서 바라보다 결재해 주는 김태호.

김태호   계속 수고해.
아라   감사합니다. (꾸벅 인사 후 나가는)
김태호   (의자에 몸 묻으며 작게 한숨 내쉬고)

S#50	**운구차 안 (낮)**

정이 타고 있는 운구차. 빠른 속도로 도로를 달리고 있다.
초조한 얼굴로 핸드폰 전화 걸고 있는 정.

S#51	**운구차2 안 (낮)**

도로를 달리고 있는 운구차. 조수석에 앉아 있는 이나영.
딸 예지는 뒷좌석에서 핸드폰 게임을 하고 있고.
게임에 집중하고 있는 예지.
그때 게임 화면 바뀌며 진동이 울린다. '진정 검사님.'
인상 찌푸리며 통화 거절 누르는 예지.

S#52	**운구차 안 (낮)**

다시 정이 타고 있는 운구차.
초조한 얼굴로 핸드폰 내리는 정.

은지	(차분한) 큰일이네. 고중도 핸드폰은 여기 있고.
철기	너무 걱정하진 마십쇼 검사님.
	거기 산소가 없는 것도 아니고
	두 시간 정돈 버틸 수 있을 겁니다.
정	(작게 한숨 내쉬는)
철기	묻어 봤자 깊게 묻진 않을 겁니다.
	셋이 금방 파내면... (하는데)
정	이장원 차장 매장 아니야. 화장이야.

철기, 은지   !!

S#53   **화장터 입구 [낮]**

시립 승화원 간판이 붙어 있는 입구.
관을 들고 안으로 들어가는 이장원의 유가족들.

S#54   **화장터 주차장 [낮]**

아라   (차에서 내려 핸드폰 전화 거는)
애는 왜 갑자기 여기서 보자고...

끼익 급하게 멈춰 서는 운구차.
차에서 내려 화장터로 뛰어가는 정과 철기, 은지.

아라   영장 받아 왔어. 근데 여긴 무슨 일... (하는데)
정   나중에!

쌩하니 아라 스쳐 달려가는 정과 철기, 은지.

S#55   **화장터 [낮]**

빠르게 안으로 들어와 주위 둘러보는 정과 두 사람.

아라   (따라 들어와) 너 뭐야 솔직히 말해. 너 또 사고 쳤어?

정	설명할 시간 없어요. (철기에게) 이나영 씨 찾았어?
철기	아직입니다.
은지	(차분한 얼굴로 주위 둘러보다가) 저기.

세 사람, 은지가 가리키는 방향 보면,
걸음 옮기고 있는 이나영과 유가족들.

정	오케이 찾았스.

그때 문득 아라의 눈에 띄는 벽면 안내 모니터.
아라, 이나영에게 걸음 옮기려는 정 붙잡으며,

아라	진정. 너 분명... 차장님 부검 맡겼다 했지.
정	예 아까 맡기고 왔어요. 왜요.
아라	(안내 모니터 가리키는) 그럼 저건... 저건 뭐야?

정 안내 모니터 보면,
이장원 시신이 화장로로 들어갔단 메시지가 떠 있다...!
헉 얼어붙는 정과 은지, 철기!

아라	(세 사람 숫자 세는) 하나 둘 셋... 한 명 어디 갔어.
	남자 걔 이름... (하다가 번뜩 든 생각에) !!

얼어붙어 서로를 바라보는 네 사람.
동시에 후다닥 뛰어나가고...!

S#56 **화장터 화장로실 (낮)**

화구 레일 위에 관을 올려놓는 장례 기사들.
제어판넬을 조작하곤 밖으로 나간다.
화구를 향해 움직이기 시작하는 레일 위 관.
관 속에 중도는 여전히 기절한 채 누워 있고.

S#57 **화장터 중앙제어실 (낮)**

뛰어들어오는 정과 아라.

정   (검찰 신분증 보여 주는) 검찰입니다.

       이장원 씨 화장 당장 멈추세요.

직원   예? 갑자기 무슨... (하는데)

정   사람 목숨이 달렸어요 빨리!

직원   예? 그건 또 갑자기 무슨... (하는데)

정   방금 했던 말을 왜 또 해 시간 없어 죽겠는데!

       빨리 멈추세요 당장!

직원   그렇게 말씀하셔 봤자 여기선 가동을 끌 수가 없어요.

아라   알아듣게 얘기해 봐요. 가동을 끌 수가 없다니 왜.

직원   고인이 들어간 3호기는 제어판넬이

       화장로 본체에 내장되어 있습니다.

       가동을 멈추고 싶다면 3호기에 직접 가서

       전원을 끄는 수밖엔...

직원의 말이 끝나기도 전에 밖으로 뛰쳐나가는 정.
아라도 그 뒤를 쫓아 달려가고.

S#58 　　화장터 화장로실 (낮)

뜨겁게 달궈지기 시작하는 화구.
중도를 실은 관은 화구를 향해 점점 가까이 다가가고...!
급히 뛰어 들어와 결관 삭을 붙잡는 정과 철기, 은지.
그 사이 제어판넬로 달려가는 아라.
판넬 보면, 죄다 중국어다!

정　　　뭐 해요 빨리 안 누르고!!
아라　　중국어야.
정　　　(못 듣고) 뭐?!
아라　　중국어라고 중국어! 중국어로 스톱이 뭔데!
정　　　스톱이 스톱이지 중국어가 어딨어요!
　　　　그냥 아무거나 눌러!

세 사람 아무리 용을 써도
관은 점점 화구 안으로 다가가고...!
안 되겠다 싶은 아라. 제어판넬에 빨간 버튼 누르면!
화악 하고 화구 안에서 뿜어져 나오는 불!

정　　　뭐야!!
아라　　빨간 게 전원 버튼 아니었어?!

정	빨간 건 불 나오는 거지 괜히 빨갛겠어?!
아라	(다른 버튼 누르면, 불길은 더 거세지고) !!
정	하지 마! 아무것도 건들지 마! (철기와 은지에게) 잘 들어,
	하나 둘 셋에 밖으로 던지는 거야. 오케이?
은지	(끄덕이고)
철기	예.
아라	(합세해 관을 붙잡고)

어느새 화구 입구까지 다다른 관.
화구 안 열기에 관 끝부분이 타오르기 시작한다.

| 정 | !! (대뜸) 셋! |

동시에 관을 번쩍 들어 올리는 네 사람,
레일 밖으로 관을 던져 버린다.
우당탕 바닥에 굴러떨어지는 관.
잠시 후, 쌍코피를 흘리며 관에서 일어나는 중도.
그런 중도 보며 일제히 안도하는 정과 철기, 은지와 아라.

S#59 화장터 밖 일각 (낮)

모여 있는 중도와 은지, 철기.

| 중도 | 미친 거 아냐? |
| | 아무것도 모르고 타 죽을 뻔했잖아! |

은지	깜빡했어.
중도	사람 관짝에 집어넣고 깜빠악?!
	나 안 해, 내가 여기서나 이러지 밖에 나감 마 어?
은지	(들고 있던 음료수 캔 까드득 뭉개고)
중도	(빠른 태세 전환) 괜찮아 깜빡할 수도 있지.

세 사람과 조금 떨어진 곳,
서 있는 정과 아라, 이나영.

이나영	(놀란) 관 속에 사람이 있었다고요?
정	(저쪽에 서 있는 중도에게 엄지척!)
중도	(대충 알았다 손짓하고)
정	부검 결과는 나오는 대로 연락드리겠습니다.
이나영	(문득 생각난) 그러고 보니까 사고 있기 전날
	아버지가 누굴 만나러 갔었어요. 전해 줄 게 있다고.
아라	전해 줄 거라면 어떤...?
이나영	(두 사람 바라보는)

+	**인서트**
	이장원의 집 앞, 걸음 옮기는 이장원을 배웅하는 이나영.
	문득 아버지가 들고 있는 노란색 서류 봉투가 눈에 띄고.

정	(누굴 만난 거지? 생각에 잠기는)
이나영	죄송해요 제가 경황이 없어 가지고 이제야...
	혹시 이게 아버지 죽음이랑 관련 있는 걸까요?

정   조사해 볼 가치는 있겠네요.

S#60   **민원봉사 사무실 [낮]**

자리에 앉아 있는 박재경.
책상 위엔 노란색 서류 봉투가 놓여 있다.
노란색 서류 봉투 뒤집는 박재경.
툭 하고 책상에 떨어지는 무언가, MP3다.
작게 한숨 내쉬며 MP3 바라보는 박재경.

S#61   **법무부 장관실 [밤]**

고심하는 얼굴로 책상 위 서류 봉투 보고 있는 임윤철.
문득 눈에 띄는 작은 사진 액자.
병상에 누워 환하게 웃고 있는 딸(10대)과 자신의 사진.
결심한 듯 봉투 안에서 이력서 꺼내 드는 임윤철.
책상 위 전화 수화기 들고.

S#62   **국밥집 [밤]**

테이블 위 진동 울리는 핸드폰.
몇 번의 진동이 울린 후 천천히 핸드폰 드는 누군가,
김태호다.

김태호   예 장관님. (놀란) 제가 말입니까?

아닙니다 제가 어떻게 그런 중책을,

말씀은 감사합니다만 제안은 고사하겠습니다.

(핸드폰 끊는)

현규(소리)   그렇게 살면 안 피곤하냐?

이제야 보이는 김태호의 맞은편, 앉아 있는 한 사람,

서현규다.

현규   어차피 받을 거 고맙습니다 하고 받어.

보는 내가 체하겠다.

김태호   (피식) 누가 보스인진 알려 줘야죠.

초반에 살바 못 잡으면 계속 끌려다닙니다.

(핸드폰 진동 울리는, 통화 거절 누르고)

현규   다음에 오면 받아.

(김태호 잔에 소주 따라주는) 축하해, 김태호 지검장.

김태호   (공손히 술 받는) 제가 뭘 한 게 있다고

다 형님 덕분이지.

고맙습니다 대표님. (꾸벅 고개 숙이는)

현규   (김태호가 귀엽다는 듯 웃는) 자식은 꼭 이럴 때만 대표라고.

건배하는 현규와 김태호.

예의 차리며 몸 돌려 마시는 김태호.

현규   (국밥 먹으며) 아까운 사람이 갔어.

이장원 차장. 뉴스 보니까 자살로 정리되는 거 같던데,

(지그시 김태호 보는) 이장원이 자살이 맞지?

김태호 (잔 내려놓는, 난처한 표정) 사실 그게 형님...

현규 왜? (놀란) 자살이 아니래?

S#63 정의 집 앞 (밤)

요리할 거리들을 사 들고
오피스텔 향해 걸음 옮기는 정.

S#64 정의 집 엘리베이터 앞 (밤)

띵- 엘리베이터 문이 열린다.
엘리베이터에서 나오는 한 사람,
모자를 푹 눌러쓴 태 실장이다.
자연스럽게 정을 스쳐 지나가는 태 실장.
엘리베이터를 타는 정,
걸음 옮기는 태 실장 뒷모습 보면,
뒷주머니 사이로 삐져나온 멸균 장갑이 보이고.
그 모습 바라보며 고개 갸웃하는 정.
엘리베이터가 닫힌다.

S#65 정의 집 거실 (밤)

주방에서 앞치마 두른 채 요리를 하고 있는 정.
능숙한 솜씨로 도마에 채소와 두부

송송 썰어 찌개에 넣는다.
전문 세프 못지않게 야무지고 능숙한 모습.
이윽고 완성된 된장찌개. 정 식탁에 앉아 냄비 뚜껑 열면!
시커멓고 걸쭉한 게 먹으면 당장 죽을 것만 같은 찌개가
모습을 드러내고...!

정	(가만히 찌개 보다가, 다시 냄비 뚜껑 닫는)

정 냉장고 문 열면,
정의 모가 놓고 간 반찬들이 정갈하게 놓여 있다.
반찬통에 붙어 있는 엄마의 메모.

정의 모(소리)	엄마 반찬 놓고 간다. 공장 폐수 만들 생각하지 말고 이거나 먹어.

미소 지으며 메모지 떼어 내는 정.
근데 뒤에 한 장이 더 붙어 있다?

정의 모(소리)	취미도 좋지만 그 정도면 민폐야. 넌 요리 재능 없어.
정	(인상 구겨지는, 떼어 내면 또 한 장 붙어 있고)
정의 모(소리)	그리고 너 결혼은 언제 할 거니?
정	(한 장 더 떼어 내면)
정의 모(소리)	나만 손주 없다.
정	(한 장 더 떼어 내면)

정의 모(소리)	아빠 보러 갈 때까진 데려와. 엄만 연상도 좋아.
정	전화로 얘기하면 되지 뭘 이렇게...

(한 장 더 떼어 내면)

정의 모(소리)	전화로 얘기하면 안 듣잖아.

내가 졌다...
그대로 탁 냉장고 문 닫아 버리는 정.

S#66   민원봉사 사무실 앞 (낮)

서류 봉투 손에 든 채 급히 사무실 향해 걸음 옮기는 철기.

S#67   민원봉사 사무실 (낮)

정에게 서류 봉투 내미는 철기.
잠시 서류 봉투 바라보다가 부검 소견서를 꺼내 읽는 정.

철기	(긴장) 뭐라 쓰여 있습니까?

철기에게 부검 소견서 내미는 정.
철기 부검 소견서 보면,
'후두부와 경추에 심각한 동시 다발성 손상.',
'추락에 의한 사망.'
계속해서 소견서 읽어 내려가는 철기.
멈칫 표정 얼어붙는다.

'혈액에서 메스암페타민 성분이 검출',
'겨드랑이 피멍으로 보아 사망 전 이동됨',
'사인: 타인에 의한 추락사'
내 이럴 줄 알았다. 표정 서늘해지는 정.

S#68 　　　**민원봉사 사무실 앞 (낮)**

사무실을 향해 걸음 옮기는 한 무리의 사람들.
도환과 강 수사관, 그 외 수사관 몇 명이다.

S#69 　　　**민원봉사 사무실 (낮)**

정　　　됐어 이제. 다음 스텝 가자.
철기　　다음 스텝이요?
정　　　알아내야지. 누가 왜 차장님을 죽였는지…

하는 그때,
안으로 들이닥치는 도환과 수사관들.

정　　　철기야, 여기 아무나 들어오는 데 아니다. 치워라.

쓱 정의 앞으로 걸음 옮기는 도환.
품에서 서류 꺼내 정에게 건네준다.
정 보면, 자신에 대한 체포 영장이다.
경악해 도환 바라보면!

S#70	**검찰청 로비 (낮)**

출근하는 검사들 사이,
엘리베이터를 향해 걸음 옮기는 김태호.
김태호의 앞에 우르르 서는 사람들,
아라와 검사들이다.

아라	(벅찬) 방금 발표 봤습니다.
	축하드립니다 지검장님.

꾸벅 고개 숙이는 아라.
일제히 김태호에게 축하 인사를 건네는 검사들.
미소로 고개 끄덕이며 걸음 옮기는 김태호.
아라 그 뒤를 따라 걷고.
그때 진동 울리는 아라의 핸드폰.

아라	(받는) 예 수사관님.
	제가 지금은 좀... (듣다가, 놀란) 예?

S#71	**민원봉사 사무실 (낮)**

도환	진정 검사, 현 시간부로 당신을
	이장원 차장 살해 혐의로 긴급 체포합니다.

얼어붙은 채 도환 바라보는 정.

그런 정을 서늘히 노려보는 도환.
미소 지으며 걸음 옮기는 김태호.
믿기지 않는다는 듯 멍하니 서 있는 아라.

네 사람의 모습에서...!!

- 4화 끝 -

episode ❺

이장원 차장검사 살인 용의자란 누명을 쓰게 된 정. 당하고만 있으면 진 검사가 아니지.

지검을 탈주한 정은 도망자의 신분이 되어 누가 왜 자신에게 이런 누명을 씌웠는지, 누가 왜 이장원 차장검사를 살해했는지 조사해 나가기 시작한다.

S#1   **민원봉사 사무실 (낮)**

정에게 서류 봉투 내미는 철기.
잠시 서류 봉투 바라보다가 부검 소견서를 꺼내 읽는 정.

철기   (긴장) 뭐라 쓰여 있습니까?

철기에게 부검 소견서 내미는 정.
철기 부검 소견서 보면,
'후두부와 경추에 심각한 동시 다발성 손상.',
'추락에 의한 사망.'
계속해서 소견서 읽어 내려가는 철기.
멈칫 표정 얼어붙는다.
'혈액에서 메스암페타민 성분이 검출',
'겨드랑이 피멍으로 보아 사망 전 이동됨',
'사인: 타인에 의한 추락사'

내 이럴 줄 알았다. 표정 서늘해지는 정.

S#2   **민원봉사 사무실 앞 (낮)**

사무실을 향해 걸음 옮기는 한 무리의 사람들.
도환과 강 수사관, 그 외 수사관 몇 명이다.

S#3   **민원봉사 사무실 (낮)**

정   됐어 이제. 다음 스텝 가자.
철기   다음 스텝이요?
정   알아내야지. 누가 왜 차장님을 죽였는지...

하는 그때, 안으로 들이닥치는 도환과 수사관들.

정   철기야, 여기 아무나 들어오는 데 아니다. 치워라.

도환에게 다가가는 철기.
하지만 강 수사관이 그 앞을 가로막고.
쓱 정의 앞으로 걸음 옮기는 도환.
품에서 서류 꺼내 정에게 건네준다.
정 서류 내용을 읽다가 멈칫, 경악해 도환 바라보면!

도환   진정 검사, 현 시간부로 당신을
        이장원 차장 살해 혐의로 긴급 체포합니다.

철기   !!

정   (얼어붙은 채 도환 보는)

S#4   검찰청 취조실 (낮)

수갑을 찬 채 자리에 앉아 있는 정.
맞은편엔 도환이 앉아 있고.

도환   (법조 타워 차량 출입기록 밀어 주는)
사건 당시 법조 타워 차량 출입 기록.

정 출입 기록 보면,
자신과 이장원의 차 말곤 아무 기록도 없다.

+   인서트
임대 모집 광고 현수막이 붙어 있는 법조 타워.

도환   (목격자 진술서 밀어 주는)
현장에서 널 봤다는 목격자 진술서.

정   (진술서 보는)

◀   **플래시백**

3화 75씬
안으로 들어서는 정의 차.
지나가던 경비원, 고개 갸웃하며 정의 차를 바라보고.

정	...차장님 변호사 사무실 복도 CCTV. 확인해 봐.
도환	(보는)
정	난 차장님을 뵙지도 못했어.
	알리바이 증거 거기 있으니까... (하는데)
도환	(법조 타워 복도 카메라 사진 밀어 주는) 회전형 CCTV.
	5분마다 복도 가운데서 양쪽으로 회전.
	(복도 근처 비상구 사진 밀어 주는)
	피해자 사무실 복도 비상구.
	나름 용의주도했어 진 검사.
정	(도환 노려보는)
도환	내가 궁금한 건 이거야.
	대체 진 검사는 왜 차장님을 살해했을까.
	자길 살인사건 용의자로 지목한 널
	차장님이 곱게 봤을 리는 없고,
	싸운 거야? 차장님 마지막 통화 진 검사 너던데.
정	할 말이 있다고 했어.
도환	확인할 길은 없어.
정	용의자로 추정되는 남자가 있어.
도환	추정일 뿐이야.
정	그럼 너도 증거를 갖고 와.
	내가 차장님 살인 피의자라는 직접적인 증거.

잠시 정 바라보다가 툭 무언가를 테이블에 놓는 도환.
정 보면, 비닐 팩에 담긴 주사기와 마약 봉지다.

도환	너희 집에서 발견한 거야.
정	...!!
도환	바늘에 묻은 혈흔 피해자 걸로 확인됐어.
	주사기에선 니 지문이 검출됐고... (하는데)
정	(서늘한) 야. 뭐 하는 거냐?
도환	(정 보는)
정	(도환 보다가) 누구 오더야.
도환	무슨 말이지?
정	이거 누구 기획이냐고.
도환	(피식) 마음대로 생각해.
정	(노려보다가, 꾹 화 참곤) ...내 차에 블랙박스가 있어.

◀ **플래시백**

4화 4씬

차에서 내리는 정. 건물을 향해 걸음 옮긴다.

그때, 쿵-! 하는 소리와 함께 바닥에 떨어지는 한 남자.

정 돌아보면, 이장원이다!

정	니 뒤에 놈한테 전해.
	소설을 쓸 거면 제대로 알고 쓰라... (하는데)
도환	(메모리 카드 들어 보이는) 이거 말하는 거야?
정	(멈칫 도환 보는)
도환	(미소로 메모리 카드 부러뜨리는) 미안. 실수.
정	(냉소로 비꼬는) 법치주의 훼손을 여기서 보네.
도환	(보는)

정	형법 155조 1항 증거인멸.
	타인의 형사사건 또는 징계사건에 관한 증거를
	인멸, 은닉, 위조 또는 변조하거나 위조 또는
	변조한 증거를 사용한 자는 5년 이하의 징역에 처한다.
도환	형법 307조 증거재판주의.
	사실의 인정은 증거에 의하여야 하고
	범죄사실 인정은
	합리적 의심이 없는 정도의 증명에 이르러야 한다.
	입증할 증거 있어?
	여긴 너랑 나 둘뿐이고 카메라도 꺼져 있는데.
정	(도환 노려보는)
도환	포기해 진 검사. 넌 못 빠져나가.
정	양심이 없는 놈인 줄 알았는데, 뇌까지 없는 놈이었네.
도환	(정 보는)
정	내가 저번에 말했지.
	니들 같은 새끼들 전부 다 박살 내 주겠다고.
	이 정도 패에 끝날 거였으면 시작도 안 했어 새꺄.
도환	(보는)
정	지금부터 내가 하는 말 똑바로 들어.
	누가 왜 나한테 이딴 개짓거리를 하는지,
	내가 전부 다 파헤치고 모조리 다 잡아줄게.
도환	(정 보다가) 어머니가 가게를 하신다고.
정	!!
도환	(도발하듯 미소) 전화는 하게 해 줄게 말씀 드려.
	앞으로 평생 못 볼 거 같다고.

정	닥쳐.
도환	(서류 정리하며) 말씀 드리기 뭐하면 내가 대신 전달하고. 어머니 속상하시겠다.
정	이 개새끼야! (확 도환에게 달려드는데)

단박에 정을 붙잡아 제압하는 도환,
정의 머리를 테이블에 쾅 누르고...!

도환	(숨결이 닿듯 가까이 다가가) 왜 자꾸 내가 맞아줄 거라 생각해?
정	(거칠게 숨 몰아쉬는, 죽일 듯 도환 노려보고)
도환	몇 번 놀아줬다고 까불지 마. 내가 마음만 먹었으면 넌 진작에 끝났어.

안으로 뛰어 들어와 정을 붙잡는 강 수사관과 수사관들.
밖으로 나가는 도환.
그런 도환 노려보는 정의 모습에서.

진검승부

S#5   **도환의 사무실 [낮]**

안으로 들어오는 도환.

문득 보면, 사무실 한쪽, 아라가 서 있다.

도환   (자리에 앉는) 무슨 일이야?

다가가 책상 위
'이장원 차장검사 살인 사건' 서류 읽는 아라.
표정 점점 굳어진다.

아라   (차마 믿기지 않고) 말도 안 돼.

도환   (업무 보며) 다 봤으면 나가 줘. 기소 준비를 해야 돼서.

아라   이대로 기소할 거야?

도환   안 할 이유가 있나?

아라   작가가 누군진 몰라도 작정하고 진검 주인공 만들었어.
        말이 안 되잖아 걔가 왜 차장님을... (하는데)

도환   니가 나한테 이러는 건 말이 되고?

아라   (보는)

도환   이것도 엄연히 수사 방해야 신 검사. (나가라 손짓)

아라   (도환 노려보다가 뒤돌아 나가는데)

도환   니가 진 검사 아끼는 마음은 알아.

아라   (멈칫, 도환 보는)

도환   그래도 이번엔 자중해.
        (의미심장한) 너 위해 하는 소리야.

아라   너나 자중하세요.
        새끼가 누구한테 명령질이야 (나가는)

도환   (피식 미소 짓고)

S#6   **검찰청 복도 (낮)**

생각에 잠긴 채 걸음 옮기는 아라.
갑자기 이게 무슨 일인가 싶다.
문득 앞을 보면, 취조실 앞,
수사관 두 명과 철기가 실랑이 벌이고 있는 게 보이고.

철기   잠깐만, 잠깐만 뵙겠습니다.
수사관1   안 돼.

그 모습 바라보다가,
결심한 듯 수사관들 향해 걸어가는 아라.

S#7   **검찰청 취조실 (낮)**

심각한 얼굴로 생각에 잠겨 있는 정.
잠시 후 안으로 들어오는 아라와 철기.

철기   검사님, 괜찮으십니까?
정   (미소로 끄덕이고)
아라   (맞은편에 앉아) 진짜 니가 죽인 거야?
철기   ...!!
정   (당연하다는 듯, 가볍게) 아니요. 안 죽였어요.
아라   (정 보다가) 좋아 그럼 됐어. 상황 어떤진 알지.
          이대로면 너 무조건 독박이야.

철기	(아라에게) 검사님한텐 차장님 살해 동기가 없습니다.
	사건 이후 동선도
	살인 용의자라 하기엔 거리가 멀고요.
	이 지점은 저희가 유리하게 쓸 수 있을 거 같은데…
아라	법정에서 증거는 증언에 우선해요.
	소용없을 거예요.
	(정에게) 넌 일단 아무 말도 하지 말고 있어.
	기소까진 시간 있으니까
	내가 어떻게든 방법 찾아볼게.
정	(고맙다는 듯 미소로 아라 보는)
아라	오도환이란 인간을 봤을 땐
	이거 절대 단독 설계 아냐.
	분명 뒤에 누군가 있어.
정	차장님 사건이랑 관계있는 놈일 거예요.
	아마 차장님이 계속 자살로 남아 있길 바랬던 사람.
아라	그 사람이 너한테 누명을 씌운 거다?
	니가 더 이상 사건 보지 못하게.
정	이대로 덮겠다는 의도도 있을 거예요.
	법정에서 제가 유죄로 판결 나면
	수사 명분 자체가 없어질 테니까.
아라	서초동 살인사건, 김효준처럼.

◀ **플래시백**

1화 44씬

효준	다신 찾아오지 마.

정	(표정 무거워지는)
아라	(기운 내라는 듯 밝게) 오케이 접수. 그쪽도 내가 알아볼게.
정	선배가요?
아라	누나 빽 누군지 몰라? 그까짓 거 금방이야 왜 이러서.
정	(피식 웃는) 고맙지만 말만 받겠습니다.
	제가 알아볼게요.
철기	검사님이요?
정	시장 쪽에 설렁탕집 있지. 거기서 탕 하나만 시켜 주라.
철기	(표정 굳는) ...!!
정	내일. 찐한 걸로.

S#8   **김태호 지검장실 (밤)**

자신의 이름이 박힌 명패를 쓰다듬는 김태호.
천천히 지검장실 둘러보다가 책상 의자에 앉는다.
의자에 몸 묻으며 편안한 미소 짓고.

S#9   **검찰청 취조실 (밤)**

자리에 앉아 있는 정. 자신이 차고 있는 수갑을 바라본다.
서서히 표정 결연해지는 데서.

S#10   **검찰청 복도 (낮)**

취조실 앞.

설렁탕 담긴 쟁반을 들고 있는 수사관1.
수사관2, 밥그릇 뚜껑과 그릇 밑을 살펴본다.
아무것도 없다.

S#11   **검찰청 취조실 [낮]**

정의 앞에 쟁반을 내려놓는 수사관1.
풀어 달라는 듯 수갑 찬 손 내미는 정.
무시하고 나가는 수사관1. 딸깍 잠기는 문.
뚱한 얼굴로 설렁탕 먹기 시작하는 정.

S#12   **검찰청 복도 [낮]**

수사관1   우리도 밥 먹으러 가자고. (수사관2와 걸음 옮기고)

S#13   **도환의 사무실 [낮]**

프린터기에서 인쇄되어 나오는 종이.
도환 집어 들어 보면, 정에 대한 구속영장이다.
서늘한 얼굴로 영장 바라보는 도환.

S#14   **검찰청 취조실 [낮]**

설렁탕을 먹고 있는 정.
어느 순간 입안에서 뭔가를 꺼낸다. 수갑 열쇠다.

S#15	**회상, 설렁탕집 (낮)**

마주 앉아 설렁탕을 먹고 있는 정과 철기.

철기	(감탄) 국물이 찐한데요?
정	그러네. 뭐 하나 숨겨 놔도 모르겠다.
철기	뭘 말입니까?
정	(생각하다가, 픽 웃는) 수갑 키 같은 거?

S#16	**검찰청 취조실 (낮)**

안으로 들어오는 수사관1, 2.
멈칫 보면, 수갑을 푼 정이 정장 재킷을 입고 있고.

수사관1, 2	(당황스레 서로 바라보고)
정	(옷매무새 다듬으며) 오 검사한테 연락 못 받았어요?

S#17	**검찰청 엘리베이터 (낮)**

엘리베이터에 타 있는 도환.
손에는 구속영장을 들고 있다. 핸드폰 전화 거는 도환.

S#18	**검찰청 취조실 (낮)**

정	착오가 있었더라고. 수고해요.

밖으로 걸음 옮기는 정. 그 앞을 가로막는 수사관1, 2.

수사관1	잠시만요 검사님, 일단 확인부터 하고...
	(핸드폰 진동 울린다, 받는)
	예 오 검사님.
정	(표정)
수사관1	예 진 검사님이랑 같이 있습니다.
	한 가지 여쭤볼 게 있는데...

주머니에서 뭔가를 떨어뜨리는 정. 팅-.
떨어진 물건을 줍기 위해 허리를 굽히는 정.
수사관1도 통화하며 반사적으로 허리를 굽힌다.

수사관1	다른 건 아니고 진 검사님이 말씀하시길...

하다가 멈칫 보면,
바닥에 떨어져 있는 물건, 수갑 열쇠다!
수사관1의 손목에 수갑을 채우는 정.
나머지 한쪽은 수사관2의 발목에 채운다. 철컥!

수사관1, 2	!!
정	(수사관1의 핸드폰 빼앗아 챙기곤) 미안합니다.
	(밖으로 나가는)

S#19 **검찰청 복도 (낮)**

취조실에서 나와 빠른 걸음으로 비상구 향해 걸어가는 정.
잠시 후 반대쪽 복도,
도환이 취조실을 향해 빠르게 걸어온다.
수갑에 손발 묶인 채
아등바등하고 있는 수사관들을 보는 도환. 표정 얼어붙고.

S#20   **검찰청 계단 (낮)**

빠르게 계단을 내려가는 정의 모습.

S#21   **검찰청 복도 (낮)**

도환의 사무실에서 나와 달려가는 강 수사관.
그리고 잠시 후... 복도 모퉁이에서 나오는 정.
유유히 도환의 사무실로 향한다.

S#22   **도환의 사무실 (낮)**

'이장원 차장검사 살인 사건' 서류철을 여는 정.
안에서 서류들을 빼 품에 넣고.

S#23   **검찰청 로비 (낮)**

밖을 향해 자연스레 걸음 옮기는 정.
보안검색대를 지키고 있던 요원.

어떤 공지가 내려온 듯 인이어에 집중한다.
엘리베이터에서 나오는 도환.
걸음 옮기고 있는 정을 발견하곤,

도환   잡아!

도환의 말이 끝나기 무섭게 뛰어나가는 정!
그 뒤를 쫓아 달리는 도환과 보안요원들!

S#24   **검찰청 밖 (낮)**

밖으로 뛰어나온 정.
저 앞,
대문 초소에 있던 경비 경찰들이 정을 향해 뛰어온다.
꼼짝없이 앞뒤 전부 막힌 상황.
이를 악물곤 옆쪽 담장을 향해 달려가는 정.
지검에서 나온 도환. 그런 정을 노려보고.
근처에 서 있던 차를 밟으며 점프!
담장 뛰어넘는 정의 모습에서!

S#25   **아라의 사무실 (낮)**

밖으로 나갈 준비를 하는 아라와 박 수사관.

박 수사관   진 검사님 댁은 이미 경찰이 싹 다 훑은 걸로...

아라	그래도 혹시 모르잖아요.
	진 검사한테 유리한 뭐가 나올지도.
	일단 출발해 보죠.
	(핸드폰 진동 울린다, 받는) 예 사무관님. ...예?!

S#26　　**민원봉사 사무실 전경 (낮)**

S#27　　**민원봉사 사무실 (낮)**

철기의 핸드폰 진동이 울린다.
전화 받는 철기.

철기	이철기입니다. (듣고, 놀란) !!
박재경	(철기 보고)
철기	(작게 소곤거리는) 어떻게 몸은 무사하신지...
	예 제가 그리로 가겠습니다. (끊으면)
박재경	진 검사야?
철기	(이내 어색한 연기) 아니요 그럴리가요.
	진 검사님은 절대 아닙니다.
박재경	로봇이냐? 연기를 똑바로 하던가
	내가 모르게 밖에 나가 전화를 하던가,
	애가 은근히 허당이네?
철기	(민망하고)
박재경	(스포츠 토토 잡지 얼굴에 덮는) 졸립다.
	(힐끔 철기 보곤) 뭐 해 방해되게. 나가 인마.

S#28 **검찰청 앞 (낮)**

지하 주차장에서 나와 도로 진입로를 향하는 철기의 차.
그때, 끼익 급하게 철기의 차를 가로막는 승용차들.
차에서 내리는 강 수사관과 수사관들,
철기에게 다가가고.

S#29 **검찰청 취조실 (낮)**

자리에 앉아 있는 철기.
맞은편엔 도환이 서늘한 얼굴로 앉아 있고.

도환   초등학교 때부터 파트너셨다고. 진 검사님과 수사관님.
철기   (보는)
도환   어딨습니까 진 검사.
철기   무슨 말씀이신지 모르겠습니다.
도환   (철기 보는)
철기   더 할 말 없으시면 가 보겠습니다. (일어서는데)
도환   앉아.

멈칫 도환을 바라보는 철기.
그런 철기 노려보는 도환이고.

철기   (도환 보다가, 어쩔 수 없이 자리에 앉는)
도환   전 답 모르는 질문 하지 않습니다.

경고하는데 모르는 척하지 마세요.

자리에서 일어서는 도환,
철기의 뒤로 돌아가 강하게 어깨를 붙잡는다.
!! 극심한 고통에 인상 찡그리는 철기.

도환	다시 묻죠. 진 검사 어딨습니까.
철기	모릅니다. 전 정말 아무것도... (하는데)
강 수사관	(안으로 들어와) 이철기 수사관 통화 내역 조회 끝났습니다.
철기	!!
강 수사관	마지막 통화 진 검사인 거 확인했고
	현재 핸드폰 추적 중입니다.

툭툭 철기의 어깨 쳐 주곤 밖으로 걸음 옮기는 도환.
그때 테이블 위 진동 울리는 철기의 핸드폰.

도환	(핸드폰 통화 버튼 누르는, 철기에게 건네주고)
철기	(어쩔 수 없이 받는) 예 검사님.

S#30   **골목, 검찰청 취조실 교차 (낮)**

주위 살피며 핸드폰 통화 중인 정.

정	오고 있어?
도환	(서늘히 철기 바라보고)

정	여보세요?
철기	(도환 보다가, 결심한 듯) 죄송합니다 검사님.
	전 못 갈 거 같습니다.
정	!!
철기	오도환 검사가 앞에 있습니다. 피하십쇼.
도환	(핸드폰 빼앗아 통화하는) 진 검사.
정	(이 악물고)
도환	자꾸 이러면 형량만 늘 뿐이야. 그만하고 자수해.
정	시작했으면 끝은 봐야지. 농담으로 듣겠습니다.
도환	어차피 넌 잡혀 진 검사.
정	잡히는 건 너야 오 검사. 기다리고 있어, 내가 금방 찾아갈게.

핸드폰 버리곤 걸음 옮기는 정.
결연하고도 서늘한 표정에서.

S#31 **김태호 지검장실 (낮)**

소파에 앉아 있는 김태호와 아라.

김태호	(심각한) 당분간 진 검사 검거에 집중하도록 해.
아라	!! 지검장님, 하지만 진 검사는... (하는데)
김태호	알아 무슨 말 하고 싶은지. 나도 너랑 같은 생각이야.
아라	(보는)
김태호	근데 신 검사, 너도 검사야.
	조직의 판단을 믿고 따를 필요도 있어.

아라	조직의 판단을 무고한 사람보다 우선해라.
	이런 말씀이십니까?
김태호	진 검사를 위한 일이야.
아라	이해가 안 됩니다.
	대체 뭐가 진 검사를 위한 일인 건지... (하는데)
김태호	언론이 냄새를 맡기 시작했어.
	지금이야 어떻게든 커버를 치고 있지만...
	더 가면 그 친구에 대해 무슨 얘기가 나올지 몰라.
아라	(이를 악물고)
김태호	(일어서 책상으로 걸어가는) 문제가 있다면 밖이 아니라
	안에서 푸는 게 맞아. 이번 건 내 말대로 해.
	연락 오면 잘 얘기해서 복귀하라 하고.
	나도 최대한 도울 테니까.

진동 울리는 김태호의 핸드폰.
'서현규 대표님.'

김태호	나가 봐.
아라	(어쩔 수 없이 일어서는, 꾸벅 인사 후 나가고)
김태호	(작게 한숨 내쉬며 핸드폰 바라보는)

S#32 **도심 내 사찰 (낮)**

등산복 차림의 현규.
음미하듯 천천히 절밥을 먹고 있다.

한쪽엔 태 실장이 서 있고.

김태호   (근처에 다가서는, 큼 헛기침하곤) 형님.

김태호에겐 눈길조차 주지 않고
조금씩, 느릿느릿 절밥을 먹는 현규.
불편한 침묵 속,
긴장한 채 현규의 말을 기다리는 김태호.

현규   (다 먹은, 수저 내려놓으며) ... 태호야.
김태호   (긴장) 예.
현규   지검장 되고 바쁜 건 아는데... 집안 정리는 잘해야지.
김태호   (고개 숙이고)
현규   잘하자.
김태호   예. 대표님.

현규, 태 실장 보면,
김태호에게 서류 봉투를 건네주는 태 실장.
이게 뭔가 싶은 김태호, 현규 보면,

현규   내가 고민을 좀 해 봤어.
            너 도와줄 수 있는 게 뭐 있나 해서.
            부리기 좋은 놈들이니까 방석에 앉혀 놓고 잘 써 봐.
김태호   (현규 보는)
현규   반부패랑 공공 수사,

	걔들은 특히 괜찮으니까 도움 될 거야.
김태호	그래도 대표님 이건 좀…
	굳이 이럴 필요 없습니다
	제가 대표님 편인데 왜… (하며 현규 보면)
현규	(무시한 채 명상하듯 눈 감고 있고)
김태호	(보다가, 결국 아무 말 못 하는)

S#33 김태호의 차 안 (낮)

운전 중인 김태호. 힐끔 조수석에 놓인 서류 봉투를 본다.

김태호	(보다가) 나보고 바지가 돼라.

솟구치는 울분과 짜증에 핸들을 확 트는 김태호.
끼익 도로변에 멈추는 차. 클랙슨을 세게 누른다.
빠아아앙!! 크게 울려 퍼지는 클랙슨 소리.
거친 숨 내쉬며 시트에 기대는 김태호.

S#34 아라의 사무실 (낮)

각자 자리에 앉아 있는 아라와 박 수사관, 윤 사무관.

아라	지검 내부랑 야외 CCTV는요? 잡힌 거 있어요?
윤 사무관	아무것도요.
아라	경찰 쪽에서 보고 들어온 건요? 카드 기록 같은 거라도.

윤 사무관	그쪽도 아직까진...
	아무래도 카드 같은 건 추적당할 게 뻔하니까...
아라	(작게 한숨 내쉬다가, 번뜩 떠오른 생각) 박 수사관님.
	진 검사랑 같이 다니는 사람들이 있어요.
	남자 하나 여자 하나.
박 수사관	(아라 보는)
아라	두 명 신원조회랑 신상 좀 알아봐 주세요. 최대한 빨리.

S#35 네일 샵 (낮)

손톱 관리를 받고 있는 은지.
한껏 불만스러운 얼굴로 은지 옆에 앉아 있는 민구.
그 뒤엔 덩치들이 서 있고.

민구	누님, 이 뭐 하는 겁니까 남사스럽게.
	큰형님 보시면 울어요.
은지	(바싹 긴장해 있는 직원에게) 괜찮아요, 동생들이에요.

그때 안으로 들어오는 박 수사관과 수사관들.

| 박 수사관 | 백은지 씨? (검찰 수사관 신분증 꺼내 보이고) |

S#36 중도의 가게 밖 (낮)

박 수사관과 수사관들에게 억지로 끌려가는 중도.

중도	무슨 일인지 말은 해 주서야지, 니들 뭐야?
	진 검사가 시킨 거야?!

중도를 차에 태우는 박 수사관과 사람들.

S#37   **식당 앞 도환의 차 안 (밤)**

식당에서 나와 자신의 차에 오르는 도환.
안전벨트 메려고 할 때,
뒤에서 확 벨트를 낚아채 도환의 목을 조르는 누군가,
정이다.

도환	!!
정	(살기 어린) 금방 찾아간다 했지.
도환	(정 노려보는)
정	누구야. 나한테 누명 씌운 새끼.
도환	(냉소하고)
정	대답해!
도환	(비웃음 담아) 알면? 알면 니가 뭘 할 수 있는데.
정	(도환 노려보는)
도환	살인 누명 쓰고 쫓기는 범죄자.
	그게 지금 니 꼴이야 진 검사.
정	(보는데)
도환	서운해 하진 마 전부 니가 자초한 일이니까.
	그리고 내가 말하지 않았나? 어차피 넌 잡힌다고.

정   (갑자기 무슨 말인가 싶은, 도환 보는데)

               클랙슨을 누르는 도환. 빠아아앙!!
               소리가 신호인 양
               어딘가에서 갑자기 나타나는 경찰차들.
               도환의 차를 포위한다.
               차에서 내리는 형사들, 정을 향해 일제히 총을 겨누고...!

정   !!
도환   남 말은 허투루 듣는 스타일이 아니라.

               차를 향해 점점 가까이 다가오는 형사들.
               일촉즉발의 위기!

정   ... 밟아.
도환   다 끝났어 진 검사.
정   (벨트로 힘껏 도환의 목 조르는) 죽기 싫으면 밟아!

               숨 막힘에 어쩔 수 없이 엑셀을 밟는 도환.
               경찰차들과 형사들을 뚫고 달려 나가는 도환의 차!

S#38   **중앙 지검 전경 (밤)**

아라(소리)   거친 방법을 써서 미안해요.

S#39   아라의 사무실 (밤)

책상 의자에 앉아 있는 아라.
맞은편엔 중도와 은지가 서 있고.

아라   소환장은 시간이 오래 걸려서.
          날린다고 올 사람들도 아닌 거 같고.
          정식으로 인사드릴게요.
          중앙 지검 형사 3부 신아라 검사입니다.
은지   (아라가 마음에 안 드는) 백은지.
중도   (긴장) 고중도입니다. 저희는 왜...?
아라   간단하게 요점만 말씀 드릴게요.
          진 검사가 이장원 차장검사 살인 용의자로 몰렸어요.
은지   !!
아라   검찰 조사를 받던 중 지검을 탈주,
          서울시 필수 치안 요원을 제외한 경찰 병력 전체가,
          현재 진 검사를 수색 중입니다.
중도   !!
아라   이대로라면 진 검사는 파면은 물론
          공개 수배까지 내려질 거예요.
          혹시 진 검사한테 연락이 온 적 있나요?
          어디 있는지 소재를 파악할 방법이라도.

당황스레 서로를 바라보는 중도와 은지.
그런 두 사람을 바라보는 아라인데,

박 수사관   (책상 위 전화기 울리는, 받는)

형사3부 신아라 검사실입니다.

(듣고, 아라에게) 진 검사님 위치 파악됐답니다.

!! 놀란 중도와 은지, 아라의 표정에서.

S#40   도환의 차 안 (밤)

빠른 속도로 도로를 달리고 있는 도환의 차.

정 뒤쪽을 보면,

저 멀리 경찰차들이 달려오고 있는 게 보인다.

백미러로 힐끔 정을 본 도환.

핸들을 도로 난간 향해 꺾고!

쾅-! 난간에 부딪치며 멈춰 서는 도환의 차.

힘겹게 눈을 뜨는 정.

머리에선 주르륵 피가 흐르고.

고통에 신음하며 차 문을 연다.

밖으로 나와 비틀대며 걸음 옮기는 정.

잠시 후 눈을 뜨는 도환.

저 멀리 걸어가고 있는 정이 보인다.

밖으로 나와 정을 노려보는 도환.

그런 도환을 힐끔 뒤돌아 바라보는 정.

잠시 서로를 바라보는 두 사람.

그러다 다시 걸음 옮기는 정의 모습에서.

S#41   **공원 화장실 (밤)**

벌컥 문 열고 안으로 들어오는 정.
머리와 셔츠는 피로 범벅이 되어 있다.
세면대 물을 트는 순간, 갑자기 윙 울리는 머리.
휘청하며 바닥에 주저앉는 정.
쏟아지는 고통 누르며 심호흡하고.

S#42   **박재경의 집 앞 (밤)**

허름한 복도형 아파트.
코코와 함께 걸음 옮기는 박재경.
열쇠로 문 열고 들어가려 하는데,
복도 반대편 보며 캉캉 짖기 시작하는 코코.
박재경 보면, 정이 걸어오고 있다.
엉망이 된 옷과 머리, 얼굴엔 피가 말라붙어 있고.

박재경   (정 보다가) 밥은 먹었냐?

S#43   **박재경의 집 거실 (밤)**

식탁 위에 놓인 햇반과 간단한 반찬들.
허겁지겁 밥을 먹는 정.
식탁 맞은편엔 박재경이 앉아 있다.

박재경	(쯧쯧쯧...) 보는 내가 체하겠다. 천천히 먹어.
정	(배시시 웃고)
박재경	(반찬 정의 앞에 갖다주며) 좋댄다 머린 빵꾸 나서.
	밥 먹고 피 닦어!

(경과)

샤워 후 박재경이 준 옷으로 갈아입은 정.

작은 사진 액자를 보며 서 있다.

박재경과 10살 정도의 아들, 아내와 함께 찍은 사진.

한쪽에선 박재경이 코코 빗질을 해 주고 있고.

박재경	누명?
정	(끄덕이고)
박재경	(누명이란 거 알지만) 그래 뭐 그렇다 치고, 이제 어쩔 건데.
정	찾아서 보여줄 겁니다.
	어떤 놈인진 몰라도 사람 잘못 건드렸다는 거.
박재경	(픽 웃는) 파이팅은 살아있네.
정	아들이 잘 생겼어요. 사모님도 미인이시고.
박재경	(표정 어두워지는)
정	가족분들은 어디 계세요?
	여긴 실장님 혼자 사시는 거 같은데.
박재경	기러기.
정	예?
박재경	기러기라고 임마. 아들이랑 애 엄마 다...
	여튼 밖에 나가 있어.

정	(보는데)
박재경	(방 향해 걸어가는) 재워 주는 거 오늘만이야.
	내일부턴 니가 알아서 해.
정	하나 궁금한 게 있는데,
	실장님은 왜 봉사실에 계신 겁니까?
박재경	(보다가) 누구처럼 살다가.
정	(표정)
박재경	(방 안에 들어가려 하는데)
정	실장님.
박재경	말을 좀 한 번에 하면 안 되냐?
정	중요한 거라서요. 감사합니다.
박재경	...자라. (방문 닫는)

옅게 웃음 짓는 정. 그런 정을 보며 캉캉 짖는 코코.

정	(코코 쓰다듬는) 코코 잘 지냈어?
	미안해 아빠가 챙겨 주지도 못하고. 아빠랑 같이 잘까?
박재경	(방문 열곤) 흰둥이 들어와.

쫄쫄쫄 방 안으로 들어가는 코코.
충격. 코코를 쓰다듬던 자세 그대로 얼음 된 정.

S#44 **아라의 사무실 (밤)**

자리에 앉아 업무를 보고 있는 아라.

창밖엔 추적추적 비가 내리고 있고.

박 수사관   (퇴근 준비 끝마친 채, 아라에게 다가가 조심스레) 검사님?

아라   (서류 보며) 예.

박 수사관   두 사람 말입니다. 왜 그냥 보내주신 건지...

아라   무고한 시민을 계속 붙잡아 둘 순 없잖아요.

          진 검사 탈주를 도와주고 있는 것도 아니고.

          일단은 보내는 게 낫다는 게 제 판단입니다.

박 수사관   (다 안다는 듯) 쟤들 보고

          진 검사님 도와주란 건 아니고요?

아라   이상한 소리 하지 말고 퇴장.

          (서랍에서 스카프 선물 건네며)

          사모님 생신 축하드린다 전해 주시고.

박 수사관   감사합니다. 근데 걱정은 걱정이네요 진 검사님.

          밖에 비도 저렇게 오는데.

아라   (무심히) 걱정할 게 뭐 있어요

          배고프면 타이어도 먹을 놈인데.

          수고하셨어요.

박 수사관   가 보겠습니다. (밖으로 나가는)

          사무실 문 닫히면, 그제야 창밖 바라보는 아라.

          걱정스런 표정.

          책상 위 아라의 핸드폰 진동 울린다. 모르는 번호다.

아라   (보다가, 받는) 신아라입니다.

정(소리)   나예요 선배.

아라	!! 너 지금 어디야.

S#45   거리 공중전화 부스, 아라의 사무실 교차 (밤)

정	믿을만한 곳에 있어요. 회사 분위기는요?
아라	알면서 물어? 나도 니 검거에 투입됐어.
정	그건 좀 섭한데.
아라	오도환 만났다며. 누가 꾸민 건진 알아냈어?
정	쉽지가 않네요.
	(농담조로) 이럴 때 선배가 옆에 있으면 얼마나 좋아.
아라	아니 난 별로.
	고중도랑 백은지는 귀가 조치했어.
	연락하든 말든 니 알아서 해.
정	고맙습니다.
아라	(마음에도 없는 소리) 됐어 이제부터 나 너 잡을 거야.
	너 잡아서 진급할 거니까 딴 사람한텐 절대,
	(강조) 절대 잡히지 마.
정	명심하겠습니다.
아라	(핸드폰 내리는, 걱정스레 비 내리는 창밖 바라보며) …
	몸조심하고.

S#46   거리 (밤)

인적 없는 거리. 내리는 비를 맞으며 걸음 옮기는 정.
절대 이대로 물러서지 않겠단, 결의에 찬 표정에서.

S#47	**박재경의 집 거실 (아침)**

소파에 앉아

'이장원 차장검사 살인 사건' 서류를 보고 있는 정.

부검 소견서를 본다.

'혈액에서 메스암페타민 성분이 검출'.

이해가 안 된다는 듯 고개 갸웃, 골똘히 생각에 잠기는 정.

방에서 하품하며 나오는 박재경, 정을 보곤,

박재경　　안 잤냐?

정　　　　(부검 소견서 보며 생각에 잠겨 있고)

박재경　　(씹혔네... 선반에서 라면 꺼내는) 너도 먹을 거야?

정　　　　(혼잣말) 이건 말이 안 되는데...

박재경　　난 분명 물어봤다? 나중에 뺏어 먹지 마.

　　　　　(경과)

식탁 위에 맛있게 끓인 라면 내려놓는 박재경.

한 젓가락 뜨려는 그때,

정　　　　제 것도요.

박재경　　(깊은 빡침)

　　　　　(경과)

식탁에 마주 앉아 라면 먹고 있는 정과 박재경.

박재경　　뭐가 잘 안 풀려?

정	아무리 봐도 이상한 게 있어서요.
	(부검 소견서 건네주는) 여기 이 부분이요.
박재경	(쩝...) 본다곤 안 했는데.

부검 소견서 보는 박재경.
'혈액에서 메스암페타민 성분이 검출'.

박재경	(뭐가 이상하단 건지 알겠지만) 이게 왜?
정	메스암페타민은 각성제에요 진정제가 아니라.
	그것도 아주 극단적 쾌락과 부작용을 갖고 있는.
박재경	(고개 끄덕이는) 필로폰.
정	자살을 시킬 거였으면 각성제가 아니라
	진정제를 투입하는 게 상식이에요.
	일단은 얌전하게 만드는 게 먼저니까.
	사람을 떨어뜨리려면.
박재경	(보는)
정	근데 범인은 왜 굳이 필로폰을 넣은 걸까요.
	마취약이란 쉬운 길을 놔두고.
박재경	필로폰의 효과 읊어 봐.
정	쾌락과 환각 성적 흥분도 증가,
	신체 활력과 두뇌 몰입 높여 주고
	불안감 행복감 자신감 공격성까지 높여 주는 마약.
	이렇게 알고 있습니다.
박재경	그리고 하나 더. 자백.
정	자백이요?

박재경	약을 맞는 순간 기억이랑 감정이
	(자기 머리 가리키는) 여기로 한번에 쏟아 들어와.
	그럼 어떻게 될까?
정	(보는)
박재경	머리는 복잡해서 터질 거 같은데 풀 방법은 없고.
	그때부터 입을 열기 시작하는 거야.
	기분도 좋겠다 약 기운이 떨어질 때까지.
정	가능한 일인가요? 약에 취해서 자백을 한다는 게?
박재경	가까이 있잖아. 먹으면 취해서 말 많아지는 거.
정	... 알코올.
박재경	자백이다. 취중 진담도.
정	그럼 범인은... 차장님한테 뭔가를 알아내려 했다?
박재경	(고개 끄덕이는)
정	(생각에 잠긴 표정에서)

(경과)

오후를 가리키고 있는 벽시계.

생각에 잠긴 채 설거지를 하고 있는 정.

박재경(소리)	가끔은 돌아가는 것도 답이야.
	누가 널 이렇게 만들었는지보다
	누가 차장님을 죽였는지 찾는 게 더 빠를 수도 있어.

설거지를 마무리한 정.

식탁 위 부검 소견서를 집어 든다.

박재경(소리)	오늘 수업은 여기까지.
	나머진 니가 직접 찾아보는 걸로.
정	(부검 소견서 넘겨보다가) 대체 뭘 찾아보란 거야.

작게 한숨 내쉬는 정. 문득 냉장고를 보면,
중국집 신장개업 전단지가 붙어 있다.
'호텔 요리사 출신이 만든 새로운 짜장! 지금 맛보세요!'
무심히 고개 돌리는 정.
그러다 순간 떠오른 생각에 멈칫,
다시 전단지를 바라본다.
급히 부검 소견서를 넘기는 정.
메스암페타민 성분 분석표에서 시선 멈춘다.
찾았다. 분석표 바라보는 정의 표정. 그 위로

| 아라(소리) | 같은 짜장면도 누가 만드냐에 따라 달라진다. |

S#48   회상, 아라의 사무실 (낮)

자리에 앉아 있는 아라.
그 옆 보조 의자엔 앳돼 보이는 수습 검사 정이 앉아 있고.

아라	내가 이 얘길 왜 하느냐.
	너도 알겠지만 이젠 우리나라도 마약 청정국이 아니야.
	중국 일본 필리핀 온 나라에서 온 마약이... (하며 정 보면)
정	(하품하다 멈칫)

아라	...대. (30cm 자로 찰싹 정의 손바닥 때리는)
정	(아얏!)
아라	하여튼 우리나라도 경쟁이 빡세지다 보니까
	이 자식들이 머리를 쓰기 시작했어. 시그니쳐.
정	(아라 보는)
아라	일종의 고객 어필 수단이지.
	성분을 더 첨가하거나 빼는 식으로
	약에 개성을 만드는 거야. 이 약은 내가 만들었다,
	나한테 밖에 못 사는 거다. 주방장 바뀐 짜장면처럼.
정	그럼 마약 성분을 분석하면...
	역으로 제조업자까지 추적할 수 있겠네요?
아라	(미소로 정 보는) 고객 장부 잊지 말고.

S#49   박재경의 집 거실 (낮)

메스암페타민 성분 분석표를 보던 정.
밖으로 걸음 옮기는 데서.

S#50   골프연습장 주차장 (낮)

자신의 차에 올라타는 유진철.
벌컥 조수석 문 열고 들어오는 정.

유진철	아 또 왜요 조사 다 받고 나온 사람한테.
	오 검사한테 다 말했어요.

정	오늘은 다른 거. (이장원의 부검 소견서 보여 주는)
유진철	(보다가, 놀라 정 보는) 이 양반이 타살이라고요?
정	질문하지 말고 대답.
	(마약 성분 분석 부분 가리키는) 이거 만든 놈 누구야.
유진철	(부검 소견서 보는)
정	너 유통 손대고 있단 것도 알고
	레시피로 누가 만들었는지 찾을 수 있단 것도 안다.
	동공 흔들지 마라.
유진철	(고개 갸웃) 기억이 날 거 같기도 하고...
정	트렁크 열어 봐 골프채 안에 있지.
	(트렁크 버튼 누르려 하는)
유진철	(말리는) 검사님 또 왜 이러셔, 이거 강남 애들 거예요.
	걔들이 슈도에페드린 이빠이 넣는 걸로 유명하거든.
	감기약에 들어가는 거.
정	몽타주랑 서식지.
유진철	거까진 모르고 목에 용 문신 있단 것만?
	금요일마다 클럽에서 파티 연단 소문도 있고.

정 글로브박스 열면, 핸드폰 몇 개가 들어 있다.
적당한 것 하나 꺼내 들며,

정	빌린다. (밖으로 나가다 멈칫) 그리고 너,
	찾아오게 하지 말고 연락 째깍째깍 받아라.
	너 아직 안 끝났다. (나가는)

S#51   **검찰청 지하 주차장 (낮)**

자신의 차를 향해 걸음 옮기는 철기.
그 위로

도환(소리)   수사는 불구속으로 진행하겠습니다.
핸드폰 항상 켜 놓으세요.

차에 올라타는 철기. 차가 출발하고 잠시 후,
한쪽에 주차되어 있던 차가 시동을 건다.
운전석에 강 수사관,
핸드폰에서 **'오도환 검사님'**을 찾아 전화를 건다.

강 수사관   출발했습니다.

S#52   **도로 (낮)**

도로를 달리고 있는 철기의 차.
그 뒤를 미행하는 강 수사관의 차.
갑자기 강 수사관의 차 앞에 훅 끼어드는 차 한 대.
브레이크를 밟는 강 수사관.
하지만 쿠웅, 끼어든 차를 살짝 박아 버리고.
뒷목을 만지며 차에서 내리는 사람들,
민구와 덩치들이다.
험악한 얼굴로 차창 똑똑 두드리는 민구.

강 수사관 앞을 보면,
이미 철기의 차는 저 멀리 떠난 후고.

S#53   **중도의 가게, 거리 교차 (낮)**

한자리에 모여 있는 중도와 은지, 철기.
철기는 정과 스피커폰으로 핸드폰 통화 중이고.

철기   예 지금 중도 씨 가게입니다. 은지 씨도 같이 있습니다.

거리 일각,
주위 살피며 핸드폰 통화 중인 정.

정   미행은?
철기   떨쳐냈습니다. 은지 씨 덕분에.
은지   (거만한 표정 짓고)
정   오케이 잘 들어.
            누가 이장원 차장을 죽였는지 찾을 수 있을 거 같아.
세 사람   !!

진동 울리는 중도의 핸드폰.
중도 보면, 정이 보낸 용 문신 도안이 보이고.

정   키워드는 강남 클럽, 목에 용 문신. 고중도.
중도   (노트북 갖고 오는, 손이랑 어깨 풀어 주고)

정	장소 찾아 문자해. 거기서 보자.
철기	검사님께선 어떻게 오실 생각이신지...?
정	(표정에서)

S#54 정의 모 집 차고 (밤)

조그마한 마당과 차고가 있는 이층 단독주택.
차고 안으로 들어오는 정.
커버가 덮어져 있는 무언가를 바라본다.
정 무언가 덮고 있던 커버 확 젖히면,
모습을 드러내는 바이크 한 대.
가라앉은 얼굴로 바이크 바라보는 정.

+   인서트

노을이 진 한강 변.
바이크를 타고 있는 아버지와 아홉 살 어린 정.
행복하게 웃음 짓는 어린 정의 모습.
벽에 달린 보관함에서 바이크 키를 꺼내는 정. 그때,

정의 모(소리) 아들.

정 뒤돌아보면, 얼굴에
'곰돌이 푸' 마스크 팩 붙이고 서 있는 정의 모!

정	(대경실색) 아 깜짝이야 뭐야!!

정의 모	뭐긴 뭐야 니 엄마지.
	(의자에 앉아, 오이 먹으며) 낮에 경찰 왔다 갔어.
	뭔 사고 쳤냐?
정	팩을 하든 오이를 먹든 하나만 하지?
	그리고 것 좀 벗어 무서워서 말도 못 하겠네.
정의 모	방금 붙인 건데...
	(팩 떼어내곤) 이제 말해 봐, 뭔 사고 쳤어.
정	그런 거 아니야.
정의 모	내가 니 원데이 투데이 봐?
	솔직하게 말해 봐 안 때릴게.
정	(쓱 엄마 손 보면)
정의 모	(멍키 스패너 들고 있고)
정	...아니에요 어머니.
정의 모	(보다가, 고개 끄덕이는) 오케이, 사람만 안 죽였음 되지.
	밥은?
정	잘 먹고 있어.
정의 모	만나는 사람은?
정	구인 중이야.
정의 모	코코는?
정	흰둥이 됐어.
정의 모	(엥? 정 보면)
정	있어 그런 게. 나 잠깐 이것 좀 빌릴게요.

(경과)

바이크에 올라타 시동 거는 정.

정	관리 잘해 놨네?
	되게 싫어했잖아 아부지 이거 타는 거.
정의 모	그러게. 버리곤 싶은데 구청 갈 시간이 없네.
정	(미소로 헬멧 쓰려는데)
정의 모	아들, 엄만 아들 믿는 거 알지?
정	(엄마가 고맙고)
정의 모	그리고 어제 친구 손주 돌잔치 갔다 왔는데…

그대로 헬멧 쓰는 정. 도망치듯 바이크 타고 나간다.
미소로 그 모습 바라보는 정의 모.
이내 작게 걱정스런 한숨 내쉬고.

S#55   **중도의 가게 (밤)**

진지한 얼굴로 노트북 키보드를 두드리고 있는 중도.
이미지 검색 프로그램을 이용해
SNS와 클럽 사진들 안에서 용 문신을 찾고 있는 중이다.
중도의 뒤엔 철기와 은지가 서 있고.

중도	(키보드 멈칫, 이제야 생각난)
	잠깐만 이걸 내가 왜 하고 있어?
	진형한테 기소장 몇 개 빼 줄 건지…
은지	(말도 끝나기 전에 빡! 중도의 뒤통수 세차게 갈기고)
철기	(은지에게 엄지척!)
은지	(노트북 향해 고갯짓하며) 집중해라.

뚱한 얼굴로 다시 키보드 두드리는 중도.
어느 순간 멈칫, 유심히 모니터 바라본다.
어느 클럽 사진 귀퉁이,
목에 용 문신을 한 남자(총책)가 찍혀 있다.
사진 하단에 적혀있는 클럽 이름.
바라보는 세 사람의 표정에서.

S#56   몽타주

/ 클럽 안
화려한 조명과 음악.
클럽 안으로 들어오는 정과 철기, 중도와 은지.
각자 귀엔 무선 이어폰을 끼고 있고.
정의 지시를 받고 흩어지는 네 사람. 그 위로

정(소리)   마약 조직은 점조직으로 이루어져 있어.
           밑에 놈들 아무리 잡아도
           위로는 못 올라간단 소리야.
           오늘 놓치면 끝장이야. 여기서 잡아야 돼.

/ 클럽 안
사람들을 살피며 걸음 옮기고 있는 정.

정(소리)   찾으면 절대 먼저 접근하지 마.
           무조건 나한테 연락해.

/ 입구

입구에서 지나가는 사람들 하나하나 살펴보고 있는 철기.

/ 스테이지

요란하게 춤추다가 문득 남자1의 목덜미에서
문신 일부를 본 중도.
잡았다 요놈. 다짜고짜 다가가 남자1의 옷깃 확 젖히면,
용이 아니라 도마뱀이다.
자연스럽게 옷깃을 여며 주는 중도. 뒤도는데,
확 중도의 뒷덜미 잡는 남자1.
배시시 웃음 짓는 중도.

/ 스테이지

남자1과 친구들에게 끌려가는 중도
무시한 채 주변 살피는 은지.
그때 남자2가 은지의 뒤로 접근한다.
쓱 남자2를 보는 은지.
목에 문신이 없다.
가뿐하게 무시해 주는 은지.
그런 은지에게 백허그를 시도하는 남자2.
문득 따끔한 느낌에 은지 보면,
어느새 랩터 가위로 남자2의 목을 겨누고 있는 은지.

/ 바

앞에 앉아 사람들을 보고 있는 정.

그때 정의 곁을 비틀대며 지나가는 여자.

정 여자 보면,

충혈된 눈과 코 근처에 묻어 있는 하얀 가루.

자리에서 일어나 여자를 따라가는 정.

/ 계단

가드가 지키고 있는 계단을 향해 걸어가는 여자.

난감한 표정의 정.

여자   (계단 오르려다 비틀)

정   (부축해주며, 친구인 양) 괜찮아?

     술을 왜 그렇게 많이 먹었어.

여자   누구 …?

정   가자. (여자 부축한 채 계단 오르는)

/ VIP룸

안으로 들어가는 여자.

정 자연스레 걸어가며 열린 문틈 사이로 안을 보면,

여자와 몇 명의 남녀들,

그리고 목에 용 문신을 한 총책이 파티 중이다.

정   (무선 이어폰에) 2층 VIP룸.

/ 스테이지

철기와 은지. 각자의 놀란 표정.

화장실 안,
남자1과 친구들에게 둘러싸여 있던 중도 역시 멈칫 놀라고.

/ 2층 난간
기대 서 있는 정.

정 소란 피우지 말자.
자리 지키고 있다가 나오면 한번에 그때...

하다가 멈칫, 반대편 보면,
마약수사대 형사들이 걸어오고 있다.
재빨리 고개 돌리는 정.
힐끔 형사가 메고 있는 경찰 신분증 보면,
'마약수사대'.
총책의 VIP룸으로 들어가는 마수대 형사들.

정 (당황스럽고) 어떻게 된 거야?
마수대가 왜 튀어나와.

/ 입구 쪽
서 있는 철기.
마수대 형사와 클럽 사장이 실랑이 벌이는 모습 보며,

철기 단속이 들어온 거 같습니다.

/ 2층 난간

작게 한숨 내쉬는 정.

일 참 더럽게 꼬인다 싶은데,

갑자기 벌컥 열리는 VIP룸 문.

룸에서 뛰쳐나와 도망치는 총책.

그 뒤를 쫓아 달려가는 마수대 형사들.

곧이어 정도 그들을 쫓아가고.

/ 1층

1층으로 내려와 사람들을 헤치며 도망치는 총책.

총책을 발견하고 따라 쫓는 철기와 은지, 중도.

S#57   **클럽 뒤편 (밤)**

밖으로 뛰쳐나오는 총책.

승합차 한 대가 총책의 앞에 선다.

총책을 태우고 급히 출발하는 승합차.

잠시 후 뛰쳐나오는 철기와 은지, 중도.

저 멀리 떠나가는 승합차를 보며

허탈한 표정 짓는데,

갑자기 어딘가에서 들려오는 바이크 소리.

세 사람 보면, 바이크를 타고 있는 한 사람,

정이다!

힘차게 엑셀을 당기는 정. 출발하는 바이크.

그 모습 멋있다는 듯 넋 놓고 바라보는

철기와 중도, 은지.

S#58	**도로 (밤)**

빠르게 도로를 달리는 정의 바이크.
도로 저 멀리 총책의 승합차가 보이고.

S#59	**총책의 사무실 (밤)**

금고에서 현금을 꺼내 가방에 담고 있는 부하들.

총책   (책상 서랍에서 장부 꺼내 품에 넣는)
빨리 움직여 새끼들아!

S#60	**총책의 사무실 밖 (밤)**

승합차를 향해 다가가는 총책과 부하들.
그때, 확 그들을 덮치는 바이크 헤드라이트.
총책과 부하들 멈칫 보면,
바이크를 탄 채 앉아 있는 정이 보이고.

총책   뭐야 넌.
정   검사.
총책   (비웃음 지으며 부하에게 고갯짓하면)

승합차에서 각목을 꺼내 정에게 다가가 휘두르는 부하.
그런 부하를 손쉽게 제압하며 각목을 빼앗아 드는 정.

정   (감 잡으려는 듯 이리저리 휘둘러보곤) 괜찮네.

정에게 달려드는 총책과 부하들.
각목을 휘두르며 놈들을 제압해나가는 정.
이윽고 마지막 총책까지 쓰러뜨리는 데 성공한다.
쓰러진 놈들 바라보는 정의 모습에서.

S#61   **로펌 강산 전경 (밤)**

국내 최대 로펌이란 위용을 자랑하듯 커다란 빌딩.

S#62   **로펌 강산 로비 (밤)**

안으로 들어오는 등산복 차림의 현규.
직원들에게 다가가 고생 많다 격려해 준다.
같이 셀카도 찍고 농담도 하는 등
권위 의식은 전혀 보이지 않는 분위기다.

S#63   **서현규 대표실 (밤)**

안으로 들어오는 현규와 지한.
책상 위 명패엔 **'로펌 강산 대표 서현규'**라 쓰여 있다.
소파에 앉는 현규와 지한.

지한   템플 스테이는 어떠셨어요?

현규	별로더라. 밥도 맛대가리 없고.
지한	(피식 웃곤) 이승준 씨가 회사 공금을 횡령했어요.
현규	이승준이면 누구야, 정일 그룹 첫째?
지한	(들고 있던 서류 건네주는)
현규	(서류 보며) 돈놀이를 할 거면 걸리질 말든가
	걸릴 거면 돈놀이를 하지 말던가. 얼마야 이게?
	(겨우 이거? 놀란 얼굴로) 500억?
지한	(현규 보는)
현규	(핸드폰 번호 누르며, 한심하다는 듯) 그룹 후계자란 놈이
	코 묻은 돈 몇 푼 갖겠다고 참...
	(상대가 받은) 예 회장님 접니다.
	...그럼요 당연히 내가 챙겨드려야지.
	뉴스 날 일 없으니까 아드님도 어깨 펴라 전해 주시고.
	...예 들어가세요. (끊고) 관할이 어디라고?
지한	남부 지검이요.
현규	남부 지검장이 면회 잡아.
	이승준인 내용 기록해서 서고에 갖다 놓고.
지한	예 아버지.
현규	진정이는.
지한	정보팀 말론 마약 구매자를 추적하고 있다고...
현규	그 와중에 또 거까지 갔어? (미소) 난 놈은 난 놈이네.
지한	(이마 긁적긁적) 계속 이럼 골치 아파질 거 같은데.
현규	그럴지도. 걜 그럼 어떻게 해야 되나?

S#64   **아라의 사무실 (밤)**

책상 위에 놓여 있는
작은 사진 액자를 바라보고 있는 아라.
사법연수원 수료식장을 배경으로
환하게 웃고 있는 아라의 사진.
사진 귀퉁이에 쓰여 있는 문구.
'최초의 여성 검찰총장! 할 수 있다. 신아라!'
옅은 미소로 사진 바라보는 아라.
그때 진동 울리는 핸드폰.

아라   (모르는 번호다, 진정인가 싶어 받는) 진 검사?

S#65 검찰청 복도 [밤]

빠르게 걸음 옮기는 아라.
잠시 후 복도 모퉁이에서 나오는 누군가, 도환이다.
지그시 아라를 바라보는 도환.

S#66 폐공장 [밤]

어둠 컴컴한 폐공장.
안으로 들어와 주위 두리번거리는 아라.

정(소리) 선배.

아라 돌아보면, 기둥 뒤 어둠 속에서 모습을 드러내는 정.

아라	(정의 얼굴에 난 상처 보곤) 싸웠냐?
정	예 뭐, 간단하게? (배시시 웃고)
아라	몸은, 괜찮아?
정	이 정도야 가뿐하죠.
	부탁 하나만 들어줘요. (장부 건네는)

아라 장부 보면, 메신저 아이디와 구매 날짜,
약의 종류와 구입량 등이 수기로 기록되어 있고.

아라	(장부 넘겨 보며) 마약 구매 장부잖아.
	전부 아이디네?
정	그 안에 범인이 있어요. 차장님 죽인 놈.
아라	!!

S#67   **폐공장 밖 (밤)**

헤드라이트를 끈 채 멈춰 서는
강 수사관의 차와 경찰 승합차.
차에서 내리는 도환과 강 수사관, 형사들.
도환을 필두로 폐공장 향해 걸음 옮기는 사람들.

S#68   **폐공장 (밤)**

정	차장님 사망 2주 전부터 사건 당일까지
	마약 구매자는 총 다섯 명.

	선배가 신원 확인 좀 해 주세요.
아라	(장부 품에 넣으며) 알았어 내가 확인해 볼게.
정	중요한 거니까 최대한 빨리...

하다가 멈칫, 폐공장 창문을 바라보는 정.
달빛에 비친 형사의 그림자가 창문에 드리워져 있다.
정 입구 쪽 보면,
입구 너머 문가에 서 있던 형사들 재빨리 몸을 숨기고.

아라	(갑자기 정이 왜 저러나 싶은) 진정?
정	(아차 싶은) 선배. 꼬리 잡힌 거 같은데.
아라	뭐?

아라의 말이 끝나기 무섭게
입구와 창문 등 곳곳으로 들이닥치는 형사들.
형사들을 피해 계단으로 달려 올라가는 정.
형사들 그 뒤를 쫓아 달려가고.
당황스러운 얼굴로 서 있는 아라.
잠시 후 한 사람이 안으로 들어온다. 도환이다.
도환 노려보는 아라의 표정에서.

S#69   **폐공장 계단 (밤)**

계속해서 계단을 오르는 정.
형사들 그 뒤를 쫓고.

폐공장 꼭대기 층 (밤)

달아나는 정과 그 뒤를 쫓는 형사들.
어느 순간 막다른 곳에 몰리고만 정.
뒤돌아보면, 어느새 형사들이 지척까지 와 있다.
낭패스러운 표정의 정.
그러던 중 문득 창문 하나가 눈에 들어오고.
한눈에 봐도 아찔한 높이.
조금씩 정에게 접근해가는 형사들.
선택의 여지가 없다.
팔꿈치로 창문을 깨곤 밖으로 뛰어내리는 정!

폐공장 밖 일각 (밤)

다리를 절뚝이며 으슥한 곳에 숨는 정.
뒤돌아보면, 쫓아오는 사람은 없다.
안도하며 걸음 옮기는 그때,
갑자기 모퉁이에서 튀어나오는 한 남자,
모자에 마스크 쓰고 있는 태 실장이다.
푹 정의 배를 칼로 찌르는 태 실장…!
(전투화를 신고 있는)
후드득 떨어지는 피. 무릎에 힘이 풀린다.
힘겹게 태 실장 붙잡으며 버티는 정.
문득 태 실장이 끼고 있는 멸균 장갑을 발견하고.

4화 64씬

엘리베이터를 타는 정,

걸음 옮기는 태 실장 뒷모습 보면,

뒷주머니 사이로 삐져나온 멸균 장갑이 보이고.

그때 그놈이다.

이를 악물고 태 실장을 노려보는 정.

박혀 있던 칼을 뽑는 태 실장.

정 그대로 힘없이 바닥에 쓰러진다.

정에게 다가가

칼로 찌른 부위를 발로 지그시 누르는 태 실장.

고통에 찬 비명을 지르는 정.

태 실장 그런 정 바라보다가

다시 한번 칼로 찌르려 하는 그때!

어딘가에서 들려오는 형사들의 목소리.

'어디로 갔어?!' '이쪽입니다!'

멈칫, 뒤돌아 걸음 옮기는 태 실장.

힘겹게 숨 내쉬며 태 실장 노려보는 정.

점점 가물가물해지는 시야.

서서히 눈을 감는 정의 모습에서...!!

- 5화 끝 -

episode 6

정체불명 괴한의 피습으로부터 간
신히 목숨을 구한 정. 이를 악물고
계속해 수사를 펼쳐나가던 정은 진
실을 깨닫고 충격을 금치 못한다.
자신에게 살인 누명을 씌운 사람.
그 사람은 바로...

진검승부 ⑥

S#1 **폐공장 (밤)**

정   차장님 사망 2주 전부터 사건 당일까지
         마약 구매자는 총 다섯 명.
         선배가 신원 확인 좀 해 주세요.

아라   (장부 품에 넣으며) 알았어 내가 확인해 볼게.

정   중요한 거니까 최대한 빨리...

         하다가 멈칫, 폐공장 창문을 바라보는 정.
         달빛에 비친 형사의 그림자가 창문에 드리워져 있다.
         정 입구 쪽 보면,
         입구 너머 문가에 서 있던 형사들 재빨리 몸을 숨기고.

아라   (갑자기 정이 왜 저러나 싶은) 진정?

정   (아차 싶은) 선배, 꼬리 잡힌 거 같은데.

아라   뭐?

아라의 말이 끝나기 무섭게
입구와 창문 등 곳곳으로 들이닥치는 형사들.
형사들을 피해 계단으로 달려 올라가는 정.
형사들 그 뒤를 쫓아 달려가고.
당황스러운 얼굴로 서 있는 아라.
잠시 후 한 사람이 안으로 들어온다.
도환이다.
도환 노려보는 아라의 표정에서.

S#2   **폐공장 밖 일각 (밤)**

다리를 절뚝이며 으슥한 곳에 숨는 정.
뒤돌아보면, 쫓아오는 사람은 없다.
안도하며 걸음 옮기는 그때,
갑자기 모퉁이에서 튀어나오는 누군가,
모자에 마스크 쓰고 있는 태 실장이다.
푹 정의 배를 칼로 찌르는 태 실장...!

S#3   **폐공장 (밤)**

서 있는 도환과 아라.

아라   (도환 노려보는) 언제부터 미행한 거야?

도환   회사에서부터.

아라   뻔뻔이 극에 달하셨네. 뭘 믿고 그렇게 당당하냐?

도환	그 말은 니가 아니라 내가 할 말 같은데.
	지검장님이 그러셨다며.
	나랑 같이 진 검사 검거에… 총력을 기울이라고.
아라	(표정)
도환	단독 행동은 여기까지야 신아라.
	(미소로) 우린 같은 식구잖아.
아라	(서늘히 도환 바라보는)

S#4   폐공장 밖 일각 (밤)

정에게 다가가
칼로 찌른 부위를 발로 지그시 누르는 태 실장.
고통에 찬 비명을 지르는 정.
태 실장 그런 정 바라보다가
다시 한번 칼로 찌르려 하는 그때!
어딘가에서 들려오는 형사들의 목소리.
'어디로 갔어?!' '이쪽입니다!'
멈칫, 뒤돌아 걸음 옮기는 태 실장.
힘겹게 숨 내쉬며 태 실장 노려보는 정.
점점 가물가물해지는 시야.
서서히 눈을 감는 정의 모습에서.

S#5   폐공장 (밤)

아라	(냉소로) 식구? 우리가?

도환	(아라 보는)
아라	농담으로라도 그런 소리 하지 마.
	듣기만 해도 기분 더러우니까.
도환	두고 보면 알겠지.
강 수사관	(안으로 들어와) 죄송합니다 검사님. 놓친 거 같습니다.
아라	(픽 웃는, 밖으로 나가며) 안됐다?

S#6　　폐공장 밖 (밤)

자신의 차를 향해 걸음 옮기는 아라.
차 문 열려다 멈칫 보면, 저만치 서 있는 바이크 한 대.
뭔가 이상하다 싶은 아라의 표정.

S#7　　폐공장 밖 일각 (밤)

주위를 살피며 걸음 옮기는 아라.
핸드폰 들어 전화를 건다.
어딘가에서 들려오기 시작하는 핸드폰 진동 소리.
진동 소리를 쫓아 걸음 옮기는 아라.
모퉁이 돌아보면, 쓰러져 있는 한 사람, 정이다.

아라	정아. (황급히 정에게 다가가) 정아 왜 그래 너 지금 여기 왜…

하다가 멈칫, 자신의 손에 묻은 피를 보곤
표정 얼어붙는 아라.

그제야 정을 자세히 보면,
배에서 피가 울컥울컥 쏟아지고 있고...!

S#8   **아라의 차 안 (밤)**

빠른 속도로 도로를 달리고 있는 아라의 차.
충격과 경악으로 덜덜 떨며 운전 중인 아라.
뒷좌석엔 정이 정신을 잃은 채 쓰러져 있고.

S#9   **폐공장 밖 일각 (밤)**

바닥에 고여 있는 다량의 핏자국들.
가만히 바라보며 서 있는 도환.

S#10   **아라의 차 안 (밤)**

도로를 달리고 있는 아라의 차.
가까스로 정신을 차린 정.
식은땀 흘리며 고통스레 신음하고.

아라   조금만 참아 병원 다 왔어.
정   병원은 안 돼요.
아라   (정 보는)
정   병원에서 신고할 거예요. 거긴 절대 안 돼요.
아라   지금 신고가 문제야?! 너 이러다 죽어!!

힘겹게 아라를 바라보는 정.
그 위로 들리는 쾅쾅 문 두드리는 소리.

S#11 **박재경의 집 앞 (밤)**

박재경 현관문 열면, 그 앞,
정을 부축하며 서 있는 아라.
정의 배에서 흐르는 피를 보곤
표정 심각해지는 박재경.

S#12 **몽타주**

/ 박재경의 집 거실 (밤)
소파에 누워 있는 정.
구급상자에서 소독용 알코올을 꺼내
상처에 들이붓는 장 교수.
수술 바늘과 실로 벌어진 상처를 꿰매기 시작한다.
그 뒤엔 초조한 얼굴의 박재경.
아라는 울상으로 덜덜 떨고 있고.

장 교수   다행이 내장은 비껴갔어.
          문제는 피를 너무 많이 흘렸단 건데.
정   (안색 창백하고)

/ 로펌 강산 대회의실 (밤)

긴 회의 테이블에 앉아
변호사들과 회의를 하고 있는 현규.
핸드폰 문자를 보는 지한,
현규에게 고개를 가로젓는다.
태 실장이 실패했다는 뜻.
작게 고개 끄덕이는 현규.

/ 박재경의 집 거실 [밤]

장 교수	(혈액형 검사 키트 보곤) B형이네.
	(아라에게) 혈액형 뭐예요.
아라	(못 듣고 정만 보는)
박재경	묻잖아 혈액형 뭐야.
아라	!! A형, A형이요.
장 교수	(난감하고)
아라	여기서 이래 봤자 방법 없어요.
	당장 병원에 연락해서... (하는데)
박재경	그럴 필요 없어.
아라	...!!
박재경	(정 바라보는 데서)

(경과)
정에게 수혈을 하고 있는 박재경.
한쪽에선 장 교수가 수혈 상황을 체크하고 있고.
곤히 잠들어 있는 정의 모습에서.

진검승부

S#13   **박재경의 집 밖 (밤)**

장 교수를 배웅하는 박재경.

장 교수   말 안 해도 알지? 당분간 절대 안정.
박재경   고맙다.
장 교수   고마우면 나중에 술이나 사.
                 근데 연이란 게 재밌다,
                 내 로스쿨 때 제자가 지금은 니 옆에 있고.
박재경   (피식) 악연이지.
장 교수   (자신의 차에 도착한) 왜 저렇게 됐는진 모르고?
박재경   (고개 끄덕이곤) 고생했어. (돌아서는데)
장 교수   박재경. 니 일 내가 모르는 건 아닌데...
                 이제 일어날 때도 되지 않았냐?
박재경   (보는)
장 교수   평생 이렇게 살려고 검사 된 거 아니잖아.
                 정신 차리고 일어나.
박재경   (보다가, 복잡한 미소로) 조심히 가라. (걸음 옮기는)

S#14   **박재경의 집 방 안 (밤)**

링거를 맞으며 잠들어 있는 정.

수건으로 정의 얼굴에 땀을 닦아 주는 아라.
걱정과 안도 섞인 표정. 그때 똑똑 노크 소리.
돌아보는 아라.

S#15   **박재경의 집 거실 (밤)**

소파에 앉아 있는 아라. 그 앞엔 박재경이 서 있고.

박재경   어떻게 된 거야?
아라   모르겠어요. 제가 봤을 땐 이미...
          (피곤한 얼굴로 고개 숙이는)
박재경   피곤할 텐데 눈 좀 붙여. 저놈은 내가 볼 테니까.
아라   아니에요 제가 계속... (하는데)
박재경   신아라 맞지? 연수원 44기.
아라   실장님이 저를 어떻게...?
박재경   김태호 지검장 옆에 있잖아. 모를 수가 없지.
아라   (보는)
박재경   얘긴 나중에 천천히 하고 일단 쉬어.
          이불이랑 베개 갖다줄게.

박재경 방으로 들어가면,
거실에 혼자 남은 아라,
지금까지 긴장이 풀린 듯 깊게 한숨 내쉰다.
소파에 앉아 있는 아라의 모습에서.

S#16	**와인 바 (밤)**

도환   진 검사가 현장을 빠져나갔습니다.

하며 옆을 보면, 앉아 있는 한 사람, 김태호다!
김태호 바라보는 도환의 모습에서.

S#17	**회상, 도환의 사무실 (밤)**

박스 안에 물건들을 집어넣고 있는 도환.
그때,

김태호(소리)   이제 가는 건가?

도환 보면, 문가에 서 있는 김태호.
손에는 서류 봉투를 들고 있다.
도환에게 다가가 서류 봉투를 건네주는 김태호.
봉투에서 서류를 꺼내는 도환.
표지 보면, **'이장원 차장검사 살인 사건'**이다.
페이지를 넘기는 도환.
멈칫, 놀라 김태호 바라보고.

김태호   뭐든지 하겠다는 오 검사 니 말…
            확인해 봐도 될까?

도환   (김태호 바라보는 데서)

와인 바 (밤)

김태호   ...진 검사가 현장을 빠져나갔다... 어떻게?
도환   신아라 검사 도움이 있었던 거 같습니다.
김태호   (서늘한 얼굴로 와인 마시는데)
도환   현장에서 핏자국을 발견했습니다.
김태호   (멈칫, 도환 보는)
도환   진 검사의 피 같습니다.
          혈흔 형태와 양으로 봐선 누군가 진 검사를
          피습한 거 같습니다.
김태호   (처음 듣는 얘기다, 당황스러운) 뭐?
도환   (지검장님이 시킨 게 아니다? 표정 날카로워지는)
          모르셨습니까?
김태호   (표정 관리하곤) ...피습범은?
도환   수사 중입니다.

          고개 끄덕이며 와인 마시는 김태호.
          미처 숨기지 못한 화가 표정에 드러난다.
          그런 김태호를 서늘히, 관찰하듯 바라보는 도환.

박재경의 집 방 안 (낮)

          안으로 들어와 정을 살피는 아라.
          문득 이불 밖으로 나와 있는 정의 손이 보인다.
          무언가를 잡으려 하는 듯,

잡고 싶어 하는 듯 보이는 정의 손.
나쁜 꿈을 꾸는 듯 조금씩 호흡 거칠어져 가는 정.

S#20   **정의 꿈, 편의점 앞 (낮)**

도로 횡단보도 근처 편의점.
파라솔 의자에 앉아 있는 어린 정과 정의 부.
어린 정은 손에 아이스크림을 들고 있고.

정의 부   이번에도 꼴찌한 거 알면 엄마 가만히 안 있을 건데.
어린 정   그러니까 아빠가 같이 들어가서 내 방패가 돼 줘야지.
정의 부   나도 니 엄만 무섭거든?
          (으스대는) 그래도 뭐 우리 아들 위해서라면
          아빠가 이 한 몸 희생하는 거쯤은...
          (하다가 멈칫, 주머니 뒤지다가)
          어떡하냐 아들? 아빠 신문사에 핸드폰 놓고 왔다.
어린 정   거짓말. 같이 가기 싫어 뻥치는 거지?
정의 부   야 임마 아빠 기자인 거 몰라?
          (목에 건 기자 신분증 보여 주는)
          진실만을 쫓는다 진강우 기자!
어린 정   (뚱한) 나도 가면 안 돼?

횡단보도 신호등이 녹색으로 바뀐다.
의자에서 일어서는 정의 부.

정의 부	금방 갔다 올게. 먹고 싶은 거 있음 더 먹고.
	(어린 정 머리 쓰다듬곤 걸음 옮기는)
어린 정	싫어 나도 가서 구경할래. (하며 아버지 붙잡으려 하는)

간발의 차로 아버지를 붙잡지 못하는 어린 정.
뚱한 얼굴로 아버지 바라보다가 아이스크림 먹는데,
그때 갑자기 들려오는 소리. 끼이이이익 쾅-!
어린 정 돌아보면, 도로 위 멈춰 서 있는 트럭과...
쓰러져 있는 아버지.
멍하니 아버지 바라보는 어린 정.

S#21　　**박재경의 집 방 안 (낮)**

괜찮다는 듯, 안심하라는 듯
따스하게 정의 손을 잡아주는 아라.
거칠었던 정의 호흡이 조금씩 정돈되기 시작한다.
안정을 되찾은 정의 모습.
그런 정을 따뜻한 시선으로 바라보는 아라.
정과 아라 두 사람의 모습에서.

(경과)
천천히 눈을 뜨는 정.

아라	(차분한) 깼어?
정	(힘겹게 상체 일으키는, 메마른 목소리) 물 좀...

아라	(컵에 물 따르는, 컵 건네고)
정	(물 마시는, 사레들어 쿨럭쿨럭 기침하고)
아라	(물 닦아주며) 무리하지 말고 더 쉬어. 너 정말 죽다 살아났어.
정	살았으면 됐습니다.
	(팔에 링거 바늘 뽑는) 우리 애들 좀 불러줘요.

S#22 박재경의 집 거실 (낮)

우당탕 안으로 들어오는 철기와 중도, 은지.

철기	(소파에 앉아 있는 정에게 달려가)
	검사님!! 괜찮으십니까!!
은지	상처는? 봉합은 했어? 봐봐. (정 옷 벗기려 하고)
정	(은지 말리며, 아프지만 애써 미소로)
	괜찮아, 괜찮아 다 했어.
중도	그렇게 거기를 왜 혼자 가 가지고…
철기	앞으로 절대 혼자 다니지 마십쇼.
	절대입니다 절대!
정	(웃으며 철기 볼 꼬집는) 걱정 많이 했어?
	다들 미안하다.

함께 있는 네 사람 바라보며 옅게 미소 짓는 아라.
코코와 함께 죽과 약 사 들고 안으로 들어오는 박재경.
거실에 우르르 몰려 있는 사람들을 본다.
얘네는 또 뭐야?

정	오셨어요?
박재경	(가만히 사람들 보다가) 여기 우리 집 맞지?

(경과)

소파에 앉아 있는 정.

철기와 중도 은지도 각각 자리에 앉아 있다.

박재경과 아라는 한쪽에서 그들 바라보고 있고.

박재경	(아라에게) 쟤들은 뭐냐?
아라	삼 남매요. 진정이와 삼 남매.

문득 옆에 놓여 있는 검은색 비닐봉지를 발견한 박재경.

봉지 안 보면,

화약 가루와 지포 라이터가 들어 있고...

박재경	(?? 이건 뭔가 싶어 아라 보면)
아라	화약이요.
	(고갯짓으로 은지 가리키는) 챙겨 왔대요 칼 맞은 데 때운다고.
박재경	(할 말을 잃은 채 앉아 있는 네 사람 바라보는)
철기	검사님 찌른 그놈, 얼굴은 보셨습니까?
정	얼굴은 못 봤고 손만. 멸균 장갑을 끼고 있었어.
	아마 그놈이 맞을 거야.
	우리 집에 주사기 심어 놓은 놈.
아라	...!!
은지	그럼 그놈은 왜? 왜 진검을 죽이려 든 거야?

정	수사를 계속하면 안 될 뭔가가 있는 거겠지.
	사람을 죽이려 하면서까지 숨겨야 되는 뭔가.
박재경	(정 바라보고)
중도	(짐짓 진지하게 고개 끄덕이는) 음 전혀 모르겠다.
	난 그냥 따라갈게.
정	쉬워 간단하게 생각해. 잡아서 족친다.
	칼잡이든 설계자든 둘 중 하난 무조건.
아라	둘 다 잡음 더 좋고.
정	움직이자.
	지금부턴 복수전이야. (결연한 표정에서)

S#23   중앙 지검 전경 (낮)

| 김태호(소리) | 어제 얘긴 오 검사한테 들었어. |

S#24   김태호 지검장실 (낮)

소파에 앉아 있는 김태호와 아라.
각자 앞엔 찻잔이 놓여 있고.

김태호	진 검사 만났다며. 왜 그런 거야?
아라	죄송합니다.
김태호	(보다가, 고개 끄덕이는) ...좋아.
	대신에 내 말 안 들은 건 이번이 마지막.
	경고야 신 검사.

아라	(고개 숙이는)
김태호	(착잡한 얼굴로 차 마시곤) 명색이 지검장이란 놈이
	제 식구 하나 커버도 못 쳐 주고,
	내가 정말 그놈한테...
	면목이 없다.
아라	진 검사도 이해하고 있을 겁니다.
김태호	그렇다면 다행이고.
	(아라 보는) 진 검사 몸 상태는 어때?
아라	(당황) 예?
김태호	니가 챙기고 있는 거 아니었어? 어딨냐고 진 검사.
아라	진 검사가 피습 당했다는 걸...
	지검장님이 어떻게...?
김태호	(미소로) 오 검사한테 보고 받았어.
	현장에 진 검사 핏자국이 있었고
	니가 치료를 위해 데려간 거 같다고.
아라	(뭔가 의심쩍고)
김태호	괜히 놔뒀다가 합병이라도 나면 더 심각해져.
	병원으로 옮기는 게 먼저니까 같이 진 검사한테 가자고.
	(책상으로 걸어가는, 책상 위 전화 수화기 들곤)
	어 나야, 차 대기시켜.
	(아라에게) 주소가 어디라고?

빤히 아라 바라보는 김태호.
그런 김태호를 바라보는 아라. 그 위로

정(소리)　　　선배.

S#25　　회상, 박재경의 집 앞 (낮)

자신의 차 향해 걸음 옮기는 아라.
뒤돌아보면, 정이 걸어오고 있다.

정　　　　　제가 여기 있다는 거
　　　　　　회사 아무한테도 말하지 말아 줘요.
아라　　　　지검장님한테도?
정　　　　　나 선배 말고 아무도 안 믿어.

S#26　　김태호 지검장실 (낮)

김태호　　　신 검사? (시간 없다는 듯 자기 손목시계 가리키는)
아라　　　　(갈등하다가, 결심한 듯 일어서는) 죄송합니다 지검장님.
　　　　　　말씀 드릴 수 없습니다.
김태호　　　(수화기 내리는) 무슨 말일까?
　　　　　　난 분명 경고를 한 거 같은데.
아라　　　　명령 불복종에 대한 징계는
　　　　　　나중에 한꺼번에 받겠습니다.
　　　　　　사건 관련자 전부 잡아넣은 후에요.

아라 꾸벅 인사하고 밖으로 나가면,
그제야 표정 서늘해지는 김태호.

S#27　　　**폐공장 밖 일각 (낮)**

자신이 피습 당한 현장을 바라보며 서 있는 정.

◀　　**플래시백**

6화 2씬
푹 정의 배를 칼로 찌르는 태 실장…!

문득 정의 눈에 띄는 무언가,
희미한 전투화 발자국이다.
피 묻은 밑창이 찍힌.
핸드폰으로 전투화 발자국을 찍는 정.

S#28　　　**폐공장 밖 일각-2, 박재경의 집 거실 교차 (낮)**

주변을 둘러보는 정.
깨져서 고장 난 CCTV 카메라가 보인다.
난감한 정의 표정.

정　　　(핸드폰 진동 울린다, 받는) 어떻게 됐어?

도환의 핸드폰 통화 내역 보며
스피커폰 통화 중인 철기와 중도, 은지.
박재경은 코코 안은 채 세 사람 어이없게 바라보고 있고.

철기	통화 내역에 수상해 보이는 사람은 없습니다.
	전부 수사관 아니면 지검 관계자뿐입니다.
정	이통사 위치 추적은?
	그동안 어딜 갔다 왔는지.
중도	알아내긴 했는데 기지국 반경이 넓어.
	장소 특정은 안 될 거 같애.
	일단 은지 동생 꼬린 붙여 놨어.
	근데 오 검사 그 양반도 뭐... 보통 선수가 아니라.
정	(답답한 듯 마른세수하고)
은지	(중도에게 작게) 진짜 납치는 안 돼?
중도	응 안 돼 넣어 둬.
철기	오 검사랑 배후가 만나는 데가 있단 건 확실해 보입니다.
	문제는 거길 어떻게 찾아야 할지...

난감한 얼굴 표정의 정.
박재경은 두고 보자는 듯 가만히 있고.

은지	그건? 위치 추적기.
중도	괜히 붙였다가 또 인천까지 갈라.
	차에 붙이는 거면 모를까 안 돼 안 돼.
정	(차? 표정)
중도	아니네 아예 붙일 수도 없네.
	차 박살 나서 센터 들어가 있다며.
정	...!!
철기	(정에게 말이 없자) 검사님?

정	고중도, 잘했어 칭찬해.
은지	나는?
정	은지 너도. 방법 찾을 수 있을 거 같다.

◀ **플래시백**

5화 40씬 연결

빠른 속도로 도로를 달리고 있는 도환의 차.
그리고 보이는... 차 안 내비게이션.

내비게이션? 서로를 바라보는 세 사람.
흐뭇이 미소 짓는 박재경.

정   오도환 사고 차량 정비 센터 알아봐.

S#29   **저수지 일각 (낮)**

자신의 차에서 내리는 김태호.
저수지 쪽 보면,
낚시 중인 현규가 보인다.
열 받은 얼굴로 성큼성큼 현규에게 걸음 옮기는 김태호.

S#30   **저수지 (낮)**

평화롭게 낚시 중인 현규.
그 뒤엔 태 실장이 서 있고.

김태호	(현규에게 다가가) 형님.
현규	(낚시하는)
김태호	자꾸 이러시면 제가 곤란합니다.
	다른 사람도 아니고 검사를 그렇게…
현규	(낚시하고)
김태호	이장원이야 물건 때문에 어쩔 수 없었다 해도
	이번엔 너무 가셨어요.
	부탁드리겠습니다 형님.
	진 검사는 저도 최선을 다해 찾고 있으니까
	좀만 기다려 주시고… (하는데)
현규	최선 다하는 거 아무 소용없어요.
	사람이 잘해야 쓸모가 있는 거지.
김태호	(보는)
현규	그리고 태호야,
	내가 니 눈치 보며 일하는 건 아니지 않냐?
김태호	(보다가, 결국 고개 숙이는)
현규	물건은 찾았고?
김태호	(아무 말 못 하고)
현규	(낚싯대 당기는, 태 실장에게) 지렁이 새로 갖고 와 봐.
	애가 영 별로다.

바늘에 걸려 있던 지렁이 빼 버리는 현규.
바닥에서 꿈틀대는 지렁이.
바라보는 김태호의 표정.

S#31   **아라의 사무실 (낮)**

자리에 앉아 있는 아라. 그 앞엔 박 수사관이 서 있고.

박 수사관   (신원조회 서류 건네주는) 말씀하신 필로폰 구매자
           아이디 신원 조회서입니다.

서류 넘겨 보는 아라.
태 실장 신원 조회 서류(사진은 없는)에서 멈칫한다.

박 수사관   태형욱. 로펌 강산 서현규 대표 비서실장입니다.
아라   우리나라 최대 법률 사무소 비서실장,
           마약 전과도 없는 놈이 마약을 구입했다...
           이 사람 구매 기록 몇 번이에요?
박 수사관   한 번입니다. 차장님 사망 사건 하루 전.
아라   (지그시 서류 바라보는 데서)

S#32   **로펌 강산 전경 (낮)**

S#33   **지한의 사무실 (낮)**

응접 소파에 앉아 있는 아라.
오랜 시간 기다린 듯 손목시계를 본다.

지한   (여유 있게 안으로 들어와) 죄송합니다.

회의가 길어져서.

(소파에 마주 앉아, 명함 건네는) 처음 뵙겠습니다.

서지한입니다.

아라 중앙 지검 신아라 검사입니다.

(명함 건네며) 제가 찾아온 건 다름이 아니라...

지한 (시선은 아라에게 둔 채, 명함 보지도 않고 쓱 테이블 한쪽으로 미는)

아라 ...다름이 아니라 태형욱 씨를 만나고 싶어서요.

지한 태 실장님을요?

아라 (보는)

지한 글쎄요 이유도 말씀 안 해 주시고 이러는 건 저희가 좀...

(미소)

아라 내사 중인 사안이라서요.

말씀 못 드리는 점 양해 부탁드립니다.

지한 ...내사요?

아라 (지한 보는)

지한 (잠시 고민하다가, 흔쾌히) 알겠습니다 협조해 드리죠.

아라 감사합니다.

지한 대신 무슨 일인지만.

검사님께서 여기까지 오실 정도면 꽤 큰일 같아서요.

(떠보듯 아라 보는) 갑자기 저희 실장님은 왜...?

아라 (표정)

지한 (미소로) 조금만 더 풀어 주세요.

보따리 값은 잘 쳐 드리겠습니다.

아라 필요 이상으로 관심이 많아 보이시는 거는...

제 기분 탓이겠죠?

지한	(보는)
아라	(지한 보다가) 제가 날을 잘못 잡은 거 같네요.
	(일어서서) 다음에 다시 찾아뵙겠습니다.

사무실 문을 열어 주는 지한.
매너 있는 미소로 아라를 바라본다.
그러다 아라 밖으로 나가면,
표정 서늘히 돌변하는 지한.

S#34   **로펌 강산 밖 (낮)**

밖으로 걸어 나오는 아라.
뒤돌아 강산 건물을 바라본다.
분명 뭔가 있다. 심각한 아라의 표정.

S#35   **지한의 사무실 (낮)**

아라의 명함 보며 핸드폰 통화 중인 지한.

지한	예 아버지 저예요 지한이.
	검찰에서 한 명이 찾아왔는데... (명함 보는)

S#36   **저수지 (낮)**

낚시 중인 현규.

핸드폰 내리며 뒤에 서 있는 태 실장에게,

현규   중앙 지검 신아라. 걔 좀 엑스레이 찍어 봐.

태실장   예.

현규   (피식 웃는, 혼잣말) 독고다인줄 알았더니...
진정이가 친구가 많네.

S#37   **한강 변 (밤)**

아라의 차 안, 앉아 있는 정과 아라.

아라   (태 실장의 신원 조회서 넘겨주는) 태형욱이라고
현재까지 가장 유력한 사건 용의자야.

정   (서류 보다가, 놀라 아라 보는) 강산이요?
우리나라 최대 로펌?

아라   아직 확실하진 않아.
다만 조금 많이 수상할 뿐이지. 넌 어때?

정   오도환 쪽 계속 파고 있어요.
아마 내일이면... (하는데)

아라   그거 말고, 너 어떠냐고.

정   (아라 보는)

아라   (걱정스레 정 바라보고)

정   그러고 보니까 내가...
선배한테 그 말을 안 했구나.
(미소로) 고마워요.

아라	(미소로) 알면 잘해.

서로를 바라보는 두 사람의 모습에서.

S#38	**박재경의 집 방 안 (밤)**

MP3를 손에 들고 있는 박재경.
책상 위엔 노란색 서류 봉투가 놓여 있다.
박재경 가만히 MP3 바라보는 데서.

S#39	**회상, 포장마차 (밤)**

노란색 서류 봉투를 들고 있는 박재경.
앞을 보면, 이장원이 앉아 있다.

이장원	자네가 한번 풀어 봐.

S#40	**박재경의 집 방 안 (밤)**

노란색 서류 봉투 안에 MP3를 넣는 박재경.
그때 똑똑 노크 소리. 서류 봉투를 책상 서랍에 넣는 박재경.

정	(문 열고) 식사하세요.

S#41	**박재경의 집 거실 (밤)**

정 냄비 들고 식탁으로 이동하며,

정   자 진 검사표 된장찌개 갑니다.
     (식탁에 냄비 올려놓고, 맞은편에 앉아) 영광인 줄 알아요.
     내 요리 아무나 못 먹는 거야.
박재경   (웃으며) 잘 먹을게.

기대에 차 냄비 뚜껑 여는 박재경.
시커먼 찌개가 모습을 드러낸다.
둥-!

박재경   (그대로 얼음 된)
정   드세요 맛있어요.

그릇에 찌개 퍼 박재경 앞에 놓아 주는 정.
박재경 숟가락으로 국 떠서 먹으려다가 멈칫,
도저히 이건 아닌 거 같다.
쓱 정 몰래 국 뜬 숟가락 코코에게 갖다주면,
킁킁 냄새 맡다가 으르렁대는 코코.
박재경 다시 정 보면,
기대에 찬 얼굴로 먹어 보라 손짓하는 정.

박재경   (보다가, 대뜸) 야 내가 말을 안 했구나
     나 된장 알러지 있는데.
     나가서 먹자.

S#42 　　　**선지 해장국 집 (밤)**

　　　　　마주 앉아 선지 해장국을 먹고 있는 정과 박재경.
　　　　　한쪽엔 정이 벗어놓은 모자가 있고.

정　　　　　(밥 먹으며) 실장님이 저 피 주셨다며.

박재경　　　(밥 먹으며) 같은 피끼리 돌려쓰고 나눠 쓰고 하는 거지,
　　　　　됐어 인마.

정　　　　　(피식) 다음엔 제가 실장님 살려 드릴게요.

박재경　　　다음에 살리지 말고 지금이나 살려 봐. 선지.

정　　　　　(선지 한 덩어리 박재경 국에 넣어 주고) 소주도 한 잔?

박재경　　　이 자식은 환자가 무슨...
　　　　　(웃으며) 소독은 해야지.

정　　　　　(웃으며 서빙 찾는데)

박재경　　　먹어 내가 시킬게.

　　　　　서빙을 향해 손드는 박재경.
　　　　　문득 가게 TV를 보면,
　　　　　묵음으로 뉴스가 나오고 있다.
　　　　　뉴스를 보며 표정 심각해지는 박재경.

정　　　　　안 먹을 거예요?

박재경　　　모자 써.

정　　　　　예?

박재경　　　모자 쓰라고 인마. (고갯짓으로 TV 가리키는)

영문도 모르고 모자를 쓰는 정.

TV 보면, 자신의 얼굴 사진이 뉴스에 나오고 있다.

뉴스 자막,

'이장원 차장검사 살해 용의자 공개 수배.'

표정 얼어붙는 정.

S#43   **정의 엄마 가게 밖 (밤)**

'정이네'라 쓰여 있는 고깃집 간판.

밖으로 나오며 핸드폰 통화하는 정의 모.

정의 모   박 사장 갑자기 뭔 소리야 우리 정이가 왜?!

(듣고, 놀란) 살인?

정의 모 가게 주위 보면,

승용차 안에 잠복해 있는 형사들이 보이고.

정의 모   …끊어 봐 다시 걸게.

(끊고, 다시 전화 거는)

'고객님의 전화기가 꺼져 있어 삐 소리 후…'

핸드폰 내리는 정의 모.

바탕 화면 정의 사진을 바라본다.

걱정과 수심 가득한 표정에서.

S#44   검찰청 복도 (낮)

지검장실을 향해 성큼성큼 걸음 옮기는 아라.
때마침 김태호와 검찰 간부들이 밖으로 나온다.

아라   (김태호에게 다가가) 진 검사 공개 수배,

         지검장님 지시입니까?

김태호   나중에. (아라 지나쳐 가는데)

아라   (그 앞 가로막으며) 섣부른 결정입니다.

         만약 진 검사가 피의자가 아니라면...! (하는데)

김태호   신 검사. 나중에.

아라   지금 말씀해 주십쇼!

간부들   ...!!

김태호   (서늘히 아라 바라보고)

아라   죄증이 명확하지 않고 누명의 가능성이 존재합니다.

         무죄추정의 원칙을 어기고 얼굴을 공개하는 건

         진 검사를 피의자로 낙인찍겠다는... (하는데)

김태호   (서늘한) 신아라.

아라   (멈칫, 김태호 보는)

김태호   다시는 내 앞에서, 목소리 높이지 마.

아라   (김태호 바라보는, 표정)

아라를 지나쳐 걸음 옮기는 김태호와 검찰 간부들.
김태호 뒷모습 바라보는 아라의 표정에서.

S#45   **카센터 (낮)**

카센터 앞에 서는 철기의 차.
차에서 내리는 철기.
다 고쳐진 도환의 차가 자리하고 있는 게 보인다.
그 위로

정(소리)   검은색 SUV.
사장   (사무실에서 나오는) 어서 오세요.
철기   엔진 오일 좀 갈러 왔습니다.
사장   잠시만 기다리세요.

사장이 엔진 오일을 교환하는 사이
슬쩍 도환의 차 향해 걸음 옮기는 철기.
운전석에 올라타 내비게이션 최근 목적지를 검색한다.
화면을 넘겨 가며 핸드폰 사진을 찍는다.
힐끔 일각을 보면, 엔진 오일 주입구를 닫고 있는 사장.
초조한 얼굴로 계속해서 핸드폰 사진 찍는 철기.

사장   (보닛 닫는) 다 됐습니다. (하며 고개 돌리면)
철기   (어느새 옆에 와 있는) 감사합니다.

S#46   **박재경의 집 거실 (낮)**

노트북 속에 펼쳐져 있는 서초동 지도.

도환의 내비게이션
최근 목적지들을 옮겨 적은 노트를 보는 정.
노트 안 주소들을 지도에 체크하기 시작한다.
지도에 채워지기 시작하는 체크 표시들.
어느 순간 노트북 보면,
집과 법원 검찰청 등 같은 장소들만
반복해 체크 표시가 되어 있다.

정(소리)   같은 시각 같은 동선. 수상한 점은 없는데...

노트 안 주소 하나를 지도에 체크하는 정.
멈칫, 노트북 보면, 지금까지와 다르게
외따로 떨어져 있는 체크 표시.
노트북으로 해당 주소 검색하는 정.
와인 바 사진이 나온다.

정(소리)   와인 바. (노트 보는) 내가 누명 쓰기 하루 전.

와인 바 사진 바라보는 정의 표정에서.

S#47   **카센터 (낮)**

자신의 차에 올라타는 도환. 차에 시동을 건다.
내비게이션이 켜지고, 주소를 입력하려다 멈칫,
물끄러미 내비게이션을 바라본다.

내비게이션 화면,
최근 목적지 검색 화면이 떠 있다.
잠시 화면 바라보다가 밖으로 나가는 도환.

도환   (사장에게 다가가) 실례합니다.
         혹시 제 차에 타신 적 있으신지...?
사장   에이 누가 함부로 검사님 차를,
         저 그런 사람 아닙니다.
도환   (기분 탓인가 싶은) ...수고하세요.

자신의 차를 향해 걸음 옮기다 멈칫하는 도환.
사장의 말이 묘하게 신경 쓰인다.

도환   제가 검사인 건 어떻게 아셨습니까?
사장   그야 운전대에 명함 보고 알았죠.
         근데 요즘 검찰에서 손님이 많이 오시네.
         아까도 한 분 왔다 가시고.
도환   다른 사람이 왔다 갔다고요?
사장   예.
도환   (표정 날카로워지는) 혹시 여기 카메라 있습니까?

S#48   **도환의 차 안 (낮)**

급하게 자신의 차에 올라타는 도환.
핸드폰에서 **'강 수사관님'**을 찾아 전화 걸고.

S#49	와인 바 [낮]

오픈 준비를 하고 있는 직원(20대 남).
잠시 후 안으로 들어오는 두 사람,
가발과 수염, 가죽 재킷 등 강력계 형사로 변장한
중도와 은지다.

중도 (경찰 신분증 보여 주며) 수고 하십니다
    서울청 강력계입니다.
    (핸드폰으로 도환의 사진 보여 주는) 이 사람 보신 적 있습니까?
    최근에 여길 왔다 하던데,
    (슬쩍 떠보는) 다른 사람이랑.

직원   (사진 보다가)
    예 이 사람 기억나요. 그저께도 왔었는데?

중도, 은지 (서로를 바라보며 고개 끄덕)

빠르게 화면 돌려가며
와인 바 내부 CCTV 영상을 보고 있는 중도와 은지.

은지   스톱. (영상 가리키는)

중도 영상 보면,
도환과 한 남자가 앉아 있는 모습이 보이고.

S#50	박재경의 집 거실 [낮]

커튼을 젖히고 밖을 살피는 정.
순찰 중인 경찰들의 모습이 보인다.
핸드폰 진동이 울린다.
정 핸드폰 보면,
와인 바 내부 CCTV 영상이 도착해 있다.
영상을 플레이시키는 정.
이제야 드러나는 도환 옆에 한 사람,
김태호다!
작게 한숨 내쉬며 눈 감는 정.

S#51   **와인 바 (낮)**

중도   (직원에게) 협조 감사합니다.

그때 들려오는 끼익 자동차 멈춰 서는 소리.
중도와 은지 창밖을 보면,
와인 바 건물 향해 뛰어오고 있는 강 수사관과 형사들!

S#52   **와인 바 건물 계단 (낮)**

황급히 나오는 중도와 은지.
계단 오르고 있는 강 수사관과 형사들의 모습이 보인다.
엘리베이터는 점검 중 표시가 떠 있고.
어쩔 수가 없다.
계단 위로 올라가는 두 사람.

S#53   **와인 바 건물 옥상 (낮)**

옥상 문 열고 들어오는 중도와 은지.
문고리 밑에 의자를 받쳐 문이 열리지 못하게 만든다.
빠르게 주위 둘러보는 두 사람.
하지만 마땅히 숨을 곳도 도망칠 곳도 없다.
쾅! 쾅!
옥상 문을 몸으로 때려 미는 강 수사관과 형사들.

중도   어떡해?

거의 열리기 직전에 다다른 옥상 문.
쾅-! 쾅-!
초조한 얼굴로 주위 살피는 은지.
문득 건물 밑에 뭔가를 발견하곤,

은지   뛰어.
중도   !! 뭐?

중도를 붙잡고 그대로 건물 밖으로 떨어지는 은지!
쾅!
옥상문을 열고 들어오는 강 수사관과 형사들.
아무도 없다.
강 수사관 급히 건물 밑 내려다보면,
쓰레기차 위에 타 있는 두 사람이 보이고.

멀어져 가는 쓰레기차를 보며
허탈한 표정 짓는 강 수사관과 형사들.

S#54 **박재경의 집 거실 (밤)**

불 꺼진 거실.
소파에 앉은 채 생각에 잠겨 있는 정.

S#55 **회상, 정의 사무실 (낮)**

1화 36씬

김태호	(미소 짓는) … 해 봐.
정, 아라	!!
김태호	의심이 가면 끝까지 파헤치는 게 맞아.
	사건에 어떤 작은 의혹도 남겨선 안 된다는 건
	검사의 기본 중 기본이고.
정	감사합니다 부장님.
김태호	제대로 한번 날뛰어 봐.
정	예!

S#56 **박재경의 집 거실 (밤)**

무거운 얼굴로 한숨 내쉬는 정.
테이블 위 보면, 정의 생각을 대변하듯
많은 말들이 쓰여 있는 노트.

'차장님 낙마로 가장 큰 이득 = 김태호 지검장님.',
'서초동 살인사건 배당, 우연이 아니다?'

◀ 플래시백

1화 14씬

정   철기야. (서류 들어 보이는) 이거 잘못 들어온 거 아니지?

노트 바라보는 정.
'차장님 부검을 알고 있던 사람
= 나, 아라 선배, 김태호 지검장님.'

◀ 플래시백

4화 39씬

정   일단 선배는 영장부터 신청해 주세요.

노트를 보는 정. '왜 나를?'

◀ 플래시백

6화 22씬

은지   그럼 그놈은 왜? 왜 진검을 죽이려 든 거야?

풀리지 않은 의문에 갇힌 느낌이다.
힘겹게 마른세수를 하는 정.

정   (핸드폰 진동 울리는, 받는) 어.

S#57   **철기의 차 안, 박재경의 집 거실 교차 (밤)**

도로를 달리고 있는 철기의 차.
운전석엔 철기, 뒷좌석엔 중도와 은지가 앉아 있다.
쓰레기 더미 안에서 뒹구느라 꼬질꼬질한 몰골의 두 사람.
철기는 정과 핸드폰 통화 중이고.

철기   방금 얘기 들었습니다. 오 검사랑 지검장님이...

정   (표정 가라앉고)

철기   신 검사님께 알려야 하지 않을까요?

정   좀 더 확실해지면. 다들 수고했어.

        이제부턴 내가 알아볼게.

철기   !! 검사님이 직접 말입니까?

정   (노트 어딘가를 반복해 동그라미 치는)

        호랑이를 잡으려면...

        호랑이 굴로 들어가야지.

        노트 안
        반복해서 동그라미 쳐 놓은 글자를 바라보는 정.
        '오도환.'
        지긋이 오도환 세 글자 바라보는 정의 모습에서.

S#58   **검찰청 구내식당 앞 (낮)**

구내식당 향해 걸음 옮기고 있는

아라와 박 수사관, 윤 사무관.

아라   (마주 오던 검사에게) 황검 오랜만?

검사   (무시하고 지나가는)

뭔가 싶은 아라의 표정.
박 수사관과 윤 사무관도 당황스레 서로를 바라보고.

S#59   **검찰청 구내식당 (낮)**

앉아서 밥 먹고 있는 몇몇 검사들.
밥이 담긴 식판 들고 그들 옆에 앉는 아라와 두 사람.

아라   와 오늘 메뉴 좋네.
            (검사들에게) 후배님들 맛있게 먹어.

일제히 자리에서 일어서는 검사들.
다른 테이블로 이동해 앉는다.

아라   (사태 파악한, 표정 어두워지고)

윤 사무관   (어쩔 줄 몰라) 소문이 좀 났더라고요.
            검사님이 지검장님 말씀 무시하시고
            진 검사님 도와드리고 있다고.

아라   (표정)

박 수사관   아무리 그래도 그렇지 뭐 하는 거야.

아라	(애써 미소) 맛있게 드세요.

(경과)
잔반통에 잔반을 버리는 아라.
그때 맞은편에서 걸어오던 차 검사(30대 남),
아라의 어깨를 고의적으로 부딪친다.
잔반통과 함께 넘어지는 아라.
통 안에 잔반들을 뒤집어 쓰고...!

차 검사	(실실 웃으며) 미안해요 선배. 그러게 조심 좀 하지.
윤 사무관	검사님!

황급히 다가와
아라의 몸에 묻은 잔반들 닦아 주는 박 수사관과 윤 사무관.
아라를 보며 비웃음 머금는 검사들.
당황과 충격으로 아무 말 못 하는 아라.

차 검사	(아라에게) 선배 이제부터 기수열외입니다.
	왜 그런진 아시죠?
아라	(멍하니 옷에 묻은 잔반 바라보고)
차 검사	상명하복 검사동일체. 지킬 건 지키며 삽시다.
	진 검사랑 선배 같은 사람 때문에
	멀쩡한 검사들 피해 입는 거 안 보여요?
박 수사관	(벌떡 일어나) 보자 보자 하니까 너무들 하시네!
	무슨 다들 고삐립니까?!

	유치하게 뭐 하는 겁니까 애도 아니고!
차 검사	뭐? (박 수사관 밀치는) 어이 박 수사관님. (밀치고) 미쳤어요?
아라	야.

차 검사 돌아보면,
어느새 옆에 와 있는 아라,
들고 있던 식판으로 세차게 차 검사를 후려갈긴다.
퍽-!

아라	개념을 짬통에 쳐 박았나 어디 어른한테. (박 수사관에게) 괜찮으세요?
박 수사관	(병 쪄서) 예 저는... 검사님은...?
아라	안 괜찮아요. (차 검사에게) 이 꽉 물어라 혀 깨문다.

차 검사에게 확 식판 치켜드는 아라.
그런 아라를 다급히 말리는 사람들.
난리가 나는 구내식당.

S#60   **도환의 집 앞 (밤)**

아파트 앞.
일각에 몸 숨긴 채
아파트 출입문 바라보며 서 있는 정.

잠시 후 한 사람이 밖으로 걸어 나온다.
재빨리 걸어가 출입문이 닫히기 전
안으로 들어가는 정.

S#61   **도환의 집 복도 (밤)**

현관 도어 락에 투명 박스 테이프를 붙이는 정.
도어 락 번호 패드에 지문이 뜬다.

S#62   **도환의 집 거실 (밤)**

한쪽 벽면이 서가로 꾸며진 거실 겸 서재.
책상 위엔 노트북과 각종 자료들이 가지런히 놓여 있다.
현관문 열고 안으로 들어오는 정.
노트북의 전원을 켠다. 로그인 암호가 걸려 있다.
주머니에서 USB(2화 26씬)를 꺼내는 정.

S#63   **회상, 박재경의 집 거실 (낮)**

정에게 USB를 건네주는 중도.

정   이거면 로그인 락을 뚫을 수 있단 거지?
중도   당연하지 내가 누군데.
은지   (중도 노려보는) 프로그램 비번은?

◀ 플래시백

2화 26씬

은지 핸드폰 보면, 'zh+i09!3$2nc*h#oi〈u1'

중도　　　바꿨어 바꿨어.

S#64　　　**도환의 집 거실 (밤)**

로그인 해킹 프로그램이 떠 있는 노트북.
암호창에 **'8943'**을 입력하는 정.
모니터 바탕화면이 정을 맞이하고.

S#65　　　**도환의 집 앞 (밤)**

멈춰 서는 도환의 차.
차에서 내리는 도환.
집을 향해 걸음 옮긴다.

S#66　　　**도환의 집 거실 (밤)**

도환의 노트북을 살펴보고 있는 정.
PC 버전 메신저 프로그램을 발견한다. 클릭.
대화 상대 목록을 마우스 스크롤해 가며 훑는 정.
어느 순간 멈칫,
'김태호 지검장님'과 나눈 대화가 보인다.

마우스 클릭. 도환과 김태호가 나눈 대화를 보는 정.

도환, '**와인 바에 손님이 왔습니다.**'

김태호, '**진 검사 쪽 사람인가?**'

'**그렇게 판단됩니다.**'

'**상황은?**'

'**놓쳤습니다.**'

'**무슨 수를 써서라도 잡아. 놈이 눈치채기 전에.**'

'**알겠습니다.**'

'**내가 널 거둔 걸 후회하게 만들지 마.
가치를 증명해 오 검사.**'

표정 서늘해지는 정.

S#67   **도환의 집 엘리베이터 (밤)**

올라가고 있는 엘리베이터.

그 안에 서 있는 도환.

S#68   **도환의 집 거실 (밤)**

노트북 화면을 핸드폰 사진 찍는 정.

밖으로 나가다가

갑작스러운 고통에 무릎 꿇으며 주저앉는다.

벌어진 상처 사이로 피가 배어 나오고 있다.

힘겹게 일어서려 하지만 쉽지가 않고.

S#69   **도환의 집 복도 (밤)**

엘리베이터에서 내리는 도환.
자신의 집을 향해 걸음 옮기고.

S#70   **도환의 집 거실 (밤)**

상처 부여잡고 힘겹게 걸음 옮기는 정.
그때 문밖에서 들리는 비밀번호 누르는 소리...!
흠칫 표정 얼어붙는 정!
안으로 들어오는 도환. 집 안엔 아무도 없다.

S#71   **도환의 집 방 안, 도환의 집 거실 교차 (밤)**

/ 침대 밑에 숨어 있는 정.
문득 침대 밖 보면, 핏방울들이 떨어져 있다.
낭패스러운 정의 표정.

/ 뭔가 수상함을 느낀 듯 천천히 거실을 둘러보는 도환.
쓱 방문을 바라보고.

/ 침대 밖으로 손을 뻗는 정.
옷깃으로 핏방울을 닦기 시작한다.

/ 방문 향해 걸음 옮기는 도환.

/ 도환이 다가오는 소리가 들린다.
초조한 얼굴로 핏방울들 닦아내는 정.

/ 방 안으로 들어오는 도환.
불 켜고 보면, 아무도 없다.
다시 문을 닫는 도환.

침대 밑에 숨도 안 쉬고 숨어 있던 정. 소리 없이 안도하고.

/ 화장실에서 들리는 샤워 물줄기 소리.
밖으로 걸음 옮기는 정의 모습에서.

S#72   **노천극장 (밤)**

아무도 없는 노천극장. 안으로 들어오는 아라.
저쪽 스탠드 앉아 있는 정이 보인다.

아라   (다가가면)
정   (아라 옷에 묻은 잔반 흔적들 보는)
아라   (시선 느끼곤) 뭐 좀 흘려 가지고.
          (말 돌리듯) 알아낸 거 있어?
정   (아라 바라보고)

          (경과)
아라   (스탠드에서 벌떡 일어나) 헛소리하지 마.

정	제가 봤어요. 오도환이랑 지검장님 대화. (핸드폰 보여 주는)
아라	(핸드폰 보는, 서서히 분노 차오르고)
정	...도와줘요 선배.
아라	(정 보는)
정	선배 도움이 필요해요. 지검장님 잡으려면.
아라	...!!
정	많이 힘들다는 건 알아요. 그래도 부탁드릴게요.
아라	만약 내가... 모른 척하겠다면?
정	안 그럴 거 알아요. 선배도 어느 정돈 눈치채고 있었잖아.
아라	(아무 말 못 하는, 표정)
정	그럼에도 만약 모른 척할 거라면...
	(잠시 있다가) 아니다 그냥 그러지 말아요.
	우리 그러라고 나랏밥 먹는 거 아니잖아.
아라	(바라보고)
정	생각해 보고 연락 주세요. 오랜 못 기다립니다.

잠시 아라 바라보다가 뒤돌아 걸어가는 정.
그런 정 바라보는 아라의 모습에서.

S#73   **아라의 차 안 (밤)**

도로를 달리는 아라의 차.
운전 중인 아라.
어딘가 전화를 건다.

아라	(상대방 받으면) 신아라입니다. 지검장님.

S#74   김태호의 집 앞 (밤)

자신의 집 아파트 입구를 향해 걸음 옮기는 김태호.
입구 앞, 누군가 서 있다. 아라다.
김태호에게 꾸벅 인사하는 아라.

김태호	할 말이 있다고?
아라	제 생각이 짧았습니다 지검장님.
김태호	(서늘히 아라 보는)
아라	잘못했습니다.
	다신 지검장님 말씀 거역하지 않겠습니다.
김태호	내가 그 말을 어떻게 믿지?
	넌 이미 전과도 한 번 있는데.
아라	(긴장해 김태호 보는)
김태호	응? 신아라 니가 말해 봐.
	니가 어떻게 해야...
	내가 널 다시 믿을 수 있을까?

무슨 말인지 깨달은 아라.
고민과 갈등 어린 표정.
김태호 그런 아라를 지긋이 바라보고.

아라	(갈등하다가, 결국) ... 진 검사 위치...

알려드리겠습니다.

핸드폰(가죽 케이스 끼워져 있는)을 꺼내는 아라.
스피커폰으로 정에게 전화를 건다.

정(소리)   예 선배.
아라   어디야?
정   (소리) 노천극장이요. 아까 저희 만났던 곳.
아라   기다려. 십 분 내로 갈게.

핸드폰 끊고 바지 주머니에 넣는 아라.
김태호를 바라본다.
그리고 보이는...
바지 위로 살짝 나와 있는 아라의 핸드폰,
아직 정과 통화 중인 상태다.
정과 통화 후 아라는 종료 버튼을 누르지 않았던 것.
김태호 보는 아라의 표정에서.

S#75   **회상, 노천극장 (밤)**

        72씬 연결
        자신의 바이크를 향해 걸음 옮기는 정.
        그때 덥석 정을 붙잡는 누군가, 아라다.

아라   (결연한) 내가 뭘 해야 되는데.

| 정 | (아라 바라보고) |

S#76   **김태호의 집 앞 (밤)**

벤치에 앉아 있는 아라와 김태호.

아라	진 검사는 자기한테 누명을 씌운 사람이 지검장님이라 생각하고 있습니다.
김태호	(고개 끄덕이는) 진 검사는 너한테 나를 잡자 제안했고.
아라	말도 안 되는 소리라 생각했습니다. 지검장님이 절대 그럴 리 없으니까요.
김태호	(작게 한숨 내쉬고)
아라	(진심 어린) 아니시죠? 지검장님.
김태호	내가 뭐라 말을 하면 좋을까... 근데 그 전에 신 검사, 핸드폰은 끄자.
아라	...!!

아라에게 손 내미는 김태호.
아라 어쩔 수 없이 핸드폰 건네준다.
김태호 핸드폰 보면, 여전히 정과 통화 중 상태.
핸드폰 끄곤 자신의 품에 집어넣는 김태호.
쓱 아라에게 다시 손 내민다.

| 아라 | (보면) |
| 김태호 | 내가 니 품까지 뒤지게 하지 말아줘. |

품 안에서 녹음 펜을 꺼내 건네주는 아라.
녹음 펜 전원을 끄는 김태호. 자리에서 일어서는데,

아라   아직 제 질문에 답하지 않으셨습니다.

김태호   (아라 보는)

아라   대답해 주십쇼 지검장님.
         진 검사한테 누명 씌운 거...
         정말 지검장님이세요?

김태호   (표정에서)

S#77   **회상, 옥외 주차장 (밤)**

         김태호의 차 안, 앉아 있는 김태호와 지한.

지한   (서류 봉투 내미는) 이대로만 하시면 됩니다.

         김태호 봉투 안에서 서류 꺼내 보면,
         '이장원 차장검사 살인 사건'이다.
         놀라 지한 바라보는 김태호.

지한   아버지가 시키는 대로. 명심하세요.

S#78   **김태호의 집 앞 (밤)**

김태호   (잠시 있다가, 걸음 옮기는데)

아라	대답하시라고요!
	(김태호 앞 가로막는, 분노로) 8년 동안 지검장님을 모셨습니다.
	존경했으니까 롤모델이었으니까
	제가 닮고 싶었으니까!
김태호	(보는)
아라	지금까지 저한테 했던 말씀 후배들한테 했던 행동
	전부 위선이었습니까?
	진 검사한테 누명 씌운 것도 모자라
	사람까지 보내 죽이려 한 것도 전부 지검장님이...!
	(하는데)

!! 아라의 뺨을 날리는 김태호. 짝-!

김태호	함부로 입 놀리지 마. 상사에 대한 예의 지켜 신 검사.
아라	(입가에 묻은 피를 손등으로 닦고, 퉤 피 섞인 침 뱉는)
	부하에 대한 예의부터 지키시죠.
김태호	(아라 노려보는데)
아라	말씀해 주세요.
	전부 다 지검장님 계획이었습니까?
	정말 진 검사 죽이려 하셨어요?!
김태호	아니야!!
아라	...!!
김태호	내가 한 게 아니야.
	난 그런 계획 알지도 못 했고 난 그냥...!
	(분노 꾹 참고 말 멈추는)

아라	진 검사 누명은 맞단 말씀이시네요.
김태호	(평정 되찾곤) 나한테 진실을 듣는다 해도,
	니가 할 수 있는 건 없어.
아라	할 수 있냐 없냔 제가 정합니다.
	지검장님은 대답만 하세요.
김태호	(피식 웃곤) 어쩔 수가 없었어. 이게 내 대답이야.
아라	(보는)
김태호	조만간에 징계위원회 회부될 거야.
	살인 용의자 도주 방조 혐의.
	파면 후엔 구속 수사 진행될 거고.
	그동안 수고했어 신 검사. (집 향해 걸음 옮기는데)
아라	저야말로 그동안 감사했습니다.
김태호	(멈칫하고)
아라	따귀 값은 나중에 청구하겠습니다.
김태호	(안으로 걸음 옮기는)

S#79 　　김태호의 집 엘리베이터 (밤)

엘리베이터에 타는 김태호. 문이 닫히기 시작한다.
그때!
누군가 손으로 엘리베이터 문을 막는다.
다시 열리는 엘리베이터 문.
김태호 보면, 서 있는 한 사람, 정이다...!

S#80 　　회상, 노천극장 (밤)

75씬 연결

아라   지검장님이 날 믿을까?

정   안 믿을 겁니다.

         당연히 선배 핸드폰 검사하려 들 거예요.

아라   그럼? 다음 계획 있어?

정   (녹음 펜 꺼내 테스트하는) 아아.

         (녹음 펜에서 정의 목소리 나오는, 아라에게 건네고)

아라   이건 너무 뻔한데.

정   걸려도 좋고 안 걸리면 더 좋고.

         어차피 진짜는 따로 있으니까.

S#81   **김태호의 집 엘리베이터 (밤)**

         김태호의 재킷에서 아라의 핸드폰을 빼앗는 정.

S#82   **회상, 노천극장 (밤)**

         80씬 연결

정   진짜는 이거.

         플랜C. (핸드폰 가죽 케이스 보여 주는)

S#83   **김태호의 집 엘리베이터 (밤)**

         아라의 핸드폰 가죽 케이스를 벗기는 정.

         케이스 안, 작은 도청기가 들어 있다.

S#84 **회상, 중도의 승합차 안 [밤]**

김태호의 집 근처에 서 있는 중도의 승합차.
차 안에 앉아 있는 정과 철기, 중도와 은지.
헤드폰을 낀 채 김태호와 아라의 대화를 듣고 있는 정.

아라(소리) 할 수 있냐 없냔 제가 정합니다.
지검장님은 대답만 하세요.

S#85 **김태호의 집 엘리베이터 [밤]**

김태호의 앞에서 녹음기를 플레이하는 정.

김태호(소리) 어쩔 수가 없었어. 이게 내 대답이야.
정 제가 나쁜 놈들한텐 말을 놓습니다 지검장님.
사람 취급을 안 하거든.
김태호 (정 노려보고)
정 (와락 김태호 멱살 잡는) 넌 이제 끝났어.

김태호 노려보는 정의 모습에서...!!

- 6화 끝 -

작가가
선택한 명대사
VS
시청자가
선택한 명대사

작가가 선택한 명대사

× − +   **1화**

"문제는 뭔지 알아?
모르는 척 넘어가니까 이 자식들이 자꾸 선을 넘어.
이번엔 니들 너무 갔어.
그러니까 이제부터 내가, 니들 같은 새끼들 전부 다 박살내 줄게."

× − +   **2화**

"까짓 거, 미친 짓 한번 해 보자."

× − +   **3화**

"어느 드라마에서 이런 말이 나옵니다.
악은 성실하다. 제가 좋아하는 말입니다.
촌철살인 멋있잖아."

"하고 싶은 말이 뭐야."

"실제로도 악은 성실합니다.
근데 걔들이 모르는 게 하나 있어.
난 걔들보다 배는 더 성실하단 거."

× − +   4화

"세상이 거지 같잖아요.
이런 놈 하나쯤은 있어야지."

× − +   5화

"찾아서 보여줄 겁니다.
어떤 놈인진 몰라도 사람 잘못 건드렸다는 거."

× − +   6화

"제가 나쁜 놈들한텐 말을 놓습니다 지검장님.
사람 취급을 안 하거든. 넌 이제 끝났어."

시청자가 선택한 명대사

× − +   1화

"내가 이 바닥 생활하면서 느낀 게 뭔지 아냐?
니들 같은 놈 잡으려면 더 악랄하고
더 뒤통수를 쳐야 한다는 거야.
니들보다 더."

× − +   2화

"당장 비행기 멈춰 세워.
안 그럼 공항에 피바다가 불 것이야."

× − +   3화

"리스크 없으면 그건 인생 아니지.
가자, 나쁜 놈 잡으러."

4화

"재부검이 쉽지 않은 결정이란 건 알고 있습니다.
하지만 적어도 망자가 남긴 마지막 말만큼은,
어떠한 거짓도 없이 제대로 들어야 한다.
전 그렇게 믿고 있습니다."

5화

"양심이 없는 놈인 줄 알았는데, 뇌까지 없는 놈이었네."

6화

"실장님이 저 피 주셨다며."

"같은 피끼리 돌려쓰고 나눠 쓰고 하는 거지.
됐어 인마."

"다음엔 제가 실장님 살려 드릴게요."

드라마 `진검승부`를 사랑해주신 여러분 정말 감사드립니다.
여러분들이 계셨기에 `진검승부`가 세상에 나올수 있었습니다.
그간 보내주신 많은 사랑과 응원, 격려 잊지 않겠습니다.
감사하고 또 감사드립니다.
더 재밌고 좋은 작품으로 다시 찾아 뵙겠습니다.

- 작가 임영빈 드림.

작가 임영빈

"진검승부"를 사랑해주신
여러분께 진심으로 감사드립니다.

감독 김성호

2022. 11. 17

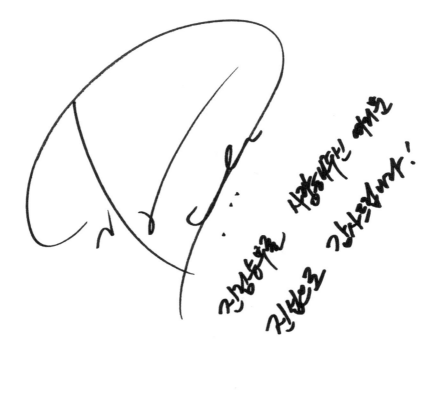

언제나 변함없이 응원해 주시는
여러분께 진심으로 감사합니다!

진정 도경수

이 모든 이야기의 시작과 끝에
임영빈작가님이 계셨기에 진정승부가
잘 마무리 되었어요 너무너무 감사드립니다
그리고 드라마 진정승부를 사랑해주신
모든 분들에게 진심으로 감사드립니다
모두 행복하세요♥

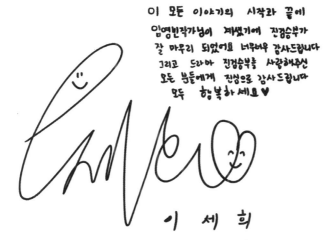

이 세 희

신아라 이세희

하준

안녕하세요.
오도환 역의 하준 입니다.
'진정승부' 대본집 출간을 진심으로
축하 드립니다. 함께 소통 할수
있어서 행복 했습니다. 건강하세요!!

오도환 하준

저 그렇게
나쁜 사람
아녜요.ㅠㅠ

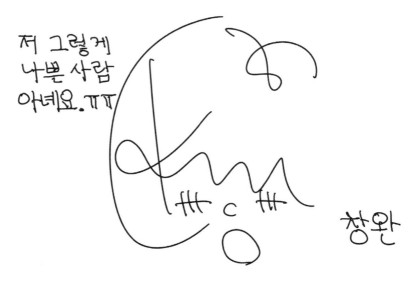

창완

서현규 김창완

"진검승부"를 사랑해 주셔서 감사합
니다～! ^^

2022. 11. 11.

박재경 김상호

'진상승부'를 사랑해주셔서
진심으로 감사드립니다♡

2022. 11. '진상승부' 강태호.

김태호 김태우

Lovely 최 광일

진검승부를 사랑해 주셔서
감사드립니다♡

2022년 11월

이장원 최광일

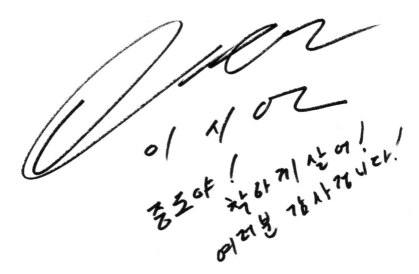

고중도 이시언

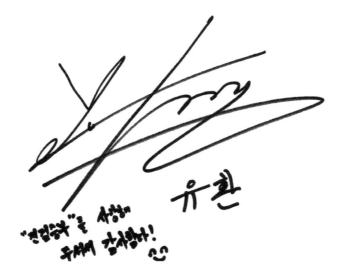

서지한 유환

To. 진검승부

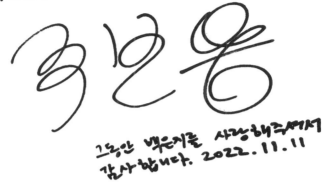

그동안 백은지를 사랑해주셔서
감사합니다. 2022. 11. 11

백은지 주보영

for. 진검승부

2022. 늦은 가을

관심 가져주시고.
사랑해 주셔서
감사합습니다.
- 철기 -
몸도, 마음도 건강하시길..
- 연준석 -

이철기 연준석

불량 검사 액션 수사극
진검승부 ①

초판 1쇄 발행 2022년 12월 9일

지은이 임영빈

발행인 오경수, 이병선
사업총괄본부장 이은영

편집 김세연, 김민경, 원지수
디자인 최유진, 이솔
제작 양동욱
마케팅 이찬욱, 서유진

발행처 DO! ULIKE
출판등록 제 2021-000167호
주소 서울특별시 서초구 반포대로20길 7-5 2층(서초동)
전화 02-535-5282
팩스 02-535-5231
인스타그램 @doulike_official

ISBN 979-11-975618-2-5, 979-11-975618-3-2 04680(세트)